수학 영역

수능기초 10일 격파 수학 II

차례

10일 동안 공부할 날짜를 정하여 계획에 따라 공부해 보세요.

수능
기초 **10**일 격파 수학 영역
수학Ⅱ

수능 기초 체크 44선

차례

◆ **함수의 좌극한**

함수 $f(x)$에서 $x \to a-$ 일 때 $f(x)$의 값이 일정한 값 α에 한없이 가까워지면 α를 $x=a$에서의 함수 $f(x)$의 좌극한이라 한다.

즉 $\lim\limits_{x \to a-} f(x) =$ ❶ _____ 또는 $x \to a-$ 일 때 $f(x) \to \alpha$

◆ **함수의 우극한**

함수 $f(x)$에서 $x \to a+$ 일 때 $f(x)$의 값이 일정한 값 β에 한없이 가까워지면 β를 $x=a$에서의 함수 $f(x)$의 우극한이라 한다.

즉 $\lim\limits_{x \to a+} f(x) = \beta$ 또는 $x \to$ ❷ _____ 일 때 $f(x) \to \beta$

예 함수 $f(x) = \begin{cases} x & (x>1) \\ -x & (x \le 1) \end{cases}$ 의 $x=1$에서의 좌극한과 우극한

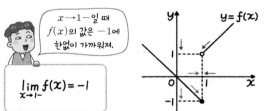

답 | ❶ α ❷ $a+$

도전 함수 $f(x) = \dfrac{|x|}{x}$에 대하여 $\lim\limits_{x \to 0+} f(x) + \lim\limits_{x \to 0-} f(x)$의 값을 구하시오.

풀이 답 | 0

$$\lim_{x \to 0+} f(x) + \lim_{x \to 0-} f(x) = \lim_{x \to 0+} \frac{x}{x} + \lim_{x \to 0-} \frac{\boxed{❶}}{x}$$

$$= \boxed{❷} + (-1) = 0$$

답 ❶ $-x$ ❷ 1

02 함수의 수렴

함수 $f(x)$에서 $x=a$에서의 좌극한과 우극한이 모두 존재하고 그 값이 α로 같으면 함수 $f(x)$는 $x=a$에서 α로 ❶[＿＿＿＿]고 한다. 또 그 역도 성립한다.

$$\lim_{x \to a-} f(x) = \lim_{x \to a+} f(x) = \alpha \iff \lim_{x \to a} f(x) = ❷[＿＿]$$

예 $x=2$에서의 함수 $f(x)$의 극한값 구하기

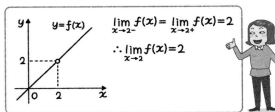

$$\lim_{x \to 2-} f(x) = \lim_{x \to 2+} f(x) = 2$$
$$\therefore \lim_{x \to 2} f(x) = 2$$

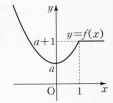

함숫값 $f(a)$가 정의되지 않을 때도 극한값 $\lim\limits_{x \to a} f(x)$는 존재할 수 있어.

답 | ❶ 수렴한다 ❷ α

도전 함수 $y=f(x)$의 그래프는 오른쪽 그림과 같다. $\lim\limits_{x \to 1} f(x) = 2$일 때, $\lim\limits_{x \to 0} f(x)$의 값은?

① -2 ② -1 ③ 0
④ 1 ⑤ 2

풀이 답 | ④

$\lim\limits_{x \to 1} f(x) = 2$에서 $a+$❶[＿＿]$=2$이므로 $a=1$

$\therefore \lim\limits_{x \to 0} f(x) = a = 1$

답 ❶ 1

◆ 함수 $f(x)$에서 x의 값이 a와 다른 값을 가지면서 a에 한없이 가까워질 때

  ❶ $f(x)$의 값이 한없이 커지면 함수 $f(x)$는 양의 무한대로 발산한다고 한다.

  ❷ $f(x)$의 값이 음수이면서 그 절댓값이 한없이 커지면 함수 $f(x)$는 음의 ❶ [ㅤㅤ]로 발산한다고 한다.

◆ 함수 $f(x)$의 $x=a$에서의 극한이 존재하지 않을 경우, 함수 $f(x)$는 $x=a$에서 ❷ [ㅤㅤ]고 한다. 즉 $x=a$에서의 좌극한 또는 우극한이 존재하지 않거나 좌극한과 우극한이 모두 존재하더라도 그 값이 서로 다르면 함수 $f(x)$는 발산한다고 한다.

예 함수 $f(x)=x^3$의 극한 조사하기

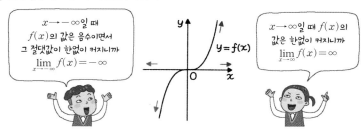

$x \to -\infty$일 때 $f(x)$의 값은 음수이면서 그 절댓값이 한없이 커지니까 $\displaystyle\lim_{x \to -\infty} f(x) = -\infty$

$y=f(x)$

$x \to \infty$일 때 $f(x)$의 값은 한없이 커지니까 $\displaystyle\lim_{x \to \infty} f(x) = \infty$

답| ❶ 무한대   ❷ 발산한다

 도전 함수의 그래프를 이용하여 $\displaystyle\lim_{x \to 0} \dfrac{1}{x^2}$ 을 조사하시오.

 풀이 답| ∞

함수 $y=\dfrac{1}{x^2}$의 그래프는 오른쪽 그림과 같다.

$x \to$ ❶ [ㅤ]일 때 y의 값은 한없이 커지므로

$\displaystyle\lim_{x \to 0} \dfrac{1}{x^2} = $ ❷ [ㅤ]

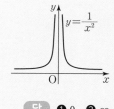

$y=\dfrac{1}{x^2}$

답 ❶ 0   ❷ ∞

$\lim\limits_{x \to a} f(x) = \alpha$, $\lim\limits_{x \to a} g(x) = \beta$ (α, β는 실수)일 때

❶ $\lim\limits_{x \to a} \{cf(x)\} = c\lim\limits_{x \to a} f(x) = \boxed{\text{❶}}$ (단, c는 상수)

❷ $\lim\limits_{x \to a} \{f(x) + g(x)\} = \lim\limits_{x \to a} f(x) + \lim\limits_{x \to a} g(x) = \alpha + \beta$

❸ $\lim\limits_{x \to a} \{f(x) - g(x)\} = \lim\limits_{x \to a} f(x) - \lim\limits_{x \to a} g(x) = \alpha - \beta$

❹ $\lim\limits_{x \to a} \{f(x)g(x)\} = \lim\limits_{x \to a} f(x) \lim\limits_{x \to a} g(x) = \boxed{\text{❷}}$

❺ $\lim\limits_{x \to a} \dfrac{f(x)}{g(x)} = \dfrac{\lim\limits_{x \to a} f(x)}{\lim\limits_{x \to a} g(x)} = \dfrac{\alpha}{\beta}$ (단, $\beta \neq 0$)

예

함수의 극한의 성질은 극한값이
존재할 때만 성립해.

$$\lim_{x \to 2}(x^2+2x) = \lim_{x \to 2} x^2 + \lim_{x \to 2} 2x$$
$$= \lim_{x \to 2} x \times \lim_{x \to 2} x + 2\lim_{x \to 2} x$$
$$= 2 \times 2 + 2 \times 2 = 8$$

$$\lim_{x \to 2} \frac{3x}{x+4} = \frac{\lim\limits_{x \to 2} 3x}{\lim\limits_{x \to 2}(x+4)} = \frac{3\lim\limits_{x \to 2} x}{\lim\limits_{x \to 2} x + \lim\limits_{x \to 2} 4}$$
$$= \frac{3 \times 2}{2+4} = 1$$

답| ❶ $c\alpha$ ❷ $\alpha\beta$

 $\lim\limits_{x \to 0} f(x) = -2$, $\lim\limits_{x \to 0} g(x) = 3$일 때, $\lim\limits_{x \to 0} \dfrac{f(x) - g(x)}{2f(x) + g(x)}$의 값은?

① 1　　　　② 2　　　　③ 3　　　　④ 4　　　　⑤ 5

 답| ⑤

$$\lim_{x \to 0} \frac{f(x) - g(x)}{2f(x) + g(x)} = \frac{\boxed{\text{❶}} - \lim\limits_{x \to 0} g(x)}{2\lim\limits_{x \to 0} f(x) + \lim\limits_{x \to 0} g(x)} = \frac{-2-3}{2 \cdot (-2) + \boxed{\text{❷}}} = 5$$

답 ❶ $\lim\limits_{x \to 0} f(x)$ ❷ 3

05 $\frac{0}{0}$ 꼴의 함수의 극한

$\lim\limits_{x \to a} f(x) = 0$, $\lim\limits_{x \to a} g(x) = 0$일 때, $\lim\limits_{x \to a} \dfrac{f(x)}{g(x)}$ 의 값은

① 분모 또는 분자를 [⓵   ]한 후 약분하여 구한다.

② 무리식이 있을 때는 근호가 있는 부분을 유리화하여 구한다.

예

$$\lim_{x \to 1} \frac{x-1}{\sqrt{x+3}-2}$$
$$= \lim_{x \to 1} \frac{(x-1)(\sqrt{x+3}+2)}{(\sqrt{x+3}-2)(\sqrt{x+3}+2)}$$
$$= \lim_{x \to 1} \frac{(x-1)(\sqrt{x+3}+2)}{x-1}$$
$$= \lim_{x \to 1} (\sqrt{x+3}+2) = 4$$

분모, 분자에
$\sqrt{x+3}+2$를
각각 곱하여 분모를
유리화해야 돼.

답| ❶ 인수분해

도전 $\lim\limits_{x \to 2} \dfrac{x^2 - x - 2}{x-2}$ 의 값은?

① 1   ② 2   ③ 3   ④ 4   ⑤ 5

풀이 답| ③

$$\lim_{x \to 2} \frac{x^2 - x - 2}{x-2} = \lim_{x \to 2} \frac{(x+1)(x-2)}{x-2}$$
$$= \lim_{x \to 2} \left(\boxed{❶ } \right)$$
$$= 2+1 = \boxed{❷ }$$

답 ❶ $x+1$ ❷ 3

06 $\dfrac{\infty}{\infty}$ 꼴의 함수의 극한

$\lim\limits_{x\to\infty} f(x)=\infty$, $\lim\limits_{x\to\infty} g(x)=\infty$일 때,

❶ $\lim\limits_{x\to\infty} \dfrac{f(x)}{g(x)}$의 값은 ❶[   ]의 최고차항으로 분자와 분모를 나누어 구한다.

❷ $f(x)-g(x)$가 무리식이면 $\lim\limits_{x\to\infty}\{f(x)-g(x)\}$의 값은 근호가 있는 부분

을 유리화하여 주어진 식을 변형한 다음 구한다.

답| ❶분모

 도전 $\lim\limits_{x\to\infty} \dfrac{3x^2+2x-1}{x^2+2}$의 값은?

① 1　　　　② 2　　　　③ 3　　　　④ 4　　　　⑤ 5

 풀이　답| ③

$$\lim_{x\to\infty} \frac{3x^2+2x-1}{x^2+2} = \lim_{x\to\infty} \frac{3+\dfrac{2}{x}-\dfrac{1}{x^2}}{❶[\quad]+\dfrac{2}{x^2}}$$

$$= \frac{3+0-0}{1+0}$$

$$= ❷[\quad]$$

$\lim\limits_{x\to\infty} \dfrac{1}{x}=0$,
$\lim\limits_{x\to\infty} \dfrac{1}{x^2}=0$
임을 이용하여
구할 수 있어.

답 ❶ 1　❷ 3

두 함수 $f(x)$, $g(x)$에 대하여 $\lim_{x \to a} f(x) = \alpha$, $\lim_{x \to a} g(x) = \beta$ (α, β는 실수)

일 때, a에 가까운 모든 실수 x에 대하여

❶ $f(x) \le g(x)$이면 $\alpha \le$ ❶ ☐

❷ 함수 $h(x)$에 대하여 $f(x) \le h(x) \le g(x)$이고 $\alpha = \beta$이면

$\lim_{x \to a} h(x) =$ ❷ ☐

답| ❶ β ❷ α

도전 함수 $f(x)$가 모든 실수 x에 대하여 $x^2 + 1 \le f(x) \le 2x^2 + 1$을 만족시킬 때, $\lim_{x \to 0} f(x)$의 값은?

① 1   ② 2   ③ 3   ④ 4   ⑤ 5

풀이 **답|** ①

$\lim_{x \to 0} (x^2 + 1) = 1$, $\lim_{x \to 0} (2x^2 + 1) =$ ❶ ☐

이므로 함수의 극한의 대소 관계에 의하여

$\lim_{x \to 0} f(x) =$ ❷ ☐

함수의 극한의 대소 관계를 이용하여 함수 $f(x)$의 극한값을 구할 수도 있어.

답 ❶ 1 ❷ 1

08 함수의 연속

◆ **함수의 연속**

함수 $f(x)$가 실수 a에 대하여 다음 조건을 모두 만족시킬 때, 함수 $f(x)$는 $x=a$에서 연속이라 한다.

❶ 함수 $f(x)$는 $x=a$에서 정의되어 있다.

❷ 극한값 $\lim_{x \to a} f(x)$가 존재한다.

❸ $\lim_{x \to a} f(x) = $ ❶ $\boxed{}$

◆ **함수의 불연속**

함수 $f(x)$가 위의 세 조건 중에서 어느 하나라도 만족시키지 않으면 함수 $f(x)$는 $x=a$에서 ❷ $\boxed{}$ 이다.

예

답| ❶ $f(a)$ ❷ 불연속

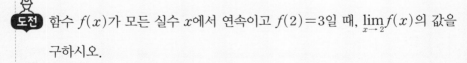

도전 함수 $f(x)$가 모든 실수 x에서 연속이고 $f(2)=3$일 때, $\lim_{x \to 2} f(x)$의 값을 구하시오.

풀이 **답| 3**

함수 $f(x)$가 모든 실수 x에서 연속이므로 $x=2$에서 ❶ $\boxed{}$ 이다.

$\therefore \lim_{x \to 2} f(x) = $ ❷ $\boxed{}$ $= 3$

답 ❶ 연속 ❷ $f(2)$

두 실수 a, b $(a<b)$에 대하여 집합

$\{x|a\leq x\leq b\}$, $\{x|a<x<b\}$, $\{x|a\leq x<b\}$, $\{x|a<x\leq b\}$

를 구간이라 하고, 각 구간을 기호와 수직선으로 나타내면 다음과 같다.

구간	기호	수직선
$\{x\|a\leq x\leq b\}$	**❶**	![수직선](a ●———● b)
$\{x\|a<x<b\}$	(a,b)	![수직선](a ○———○ b)
$\{x\|a\leq x<b\}$	$[a,b)$	![수직선](a ●———○ b)
$\{x\|a<x\leq b\}$	$(a,b]$	![수직선](a ○———● b)

이때 $[a,b]$를 닫힌구간, (a,b)를 **❷** 구간이라 하고, $[a,b)$, $(a,b]$를 반

닫힌 구간 또는 반열린 구간이라 한다.

답| ❶ $[a,b]$ ❷ 열린

 도전 함수 $y=\sqrt{x+1}$의 정의역을 구간의 기호를 사용하여 나타내시오.

 풀이 답| $[-1,\infty)$

$x+1\geq$ **❶** 에서 $x\geq-1$

즉 함수 $y=\sqrt{x+1}$의 정의역은 $\{x|x\geq-1\}$이

므로 구간의 기호를 사용하여

$[-1,$ **❷** $)$와 같이 나타낼 수 있다.

무리함수의 정의역은
근호 안의 식의 값이
0 이상이 되게 하는 실수
전체의 집합이야.

답 ❶ 0 ❷ ∞

10 연속함수

함수 $f(x)$가 어떤 구간에 속하는 모든 점에서 연속일 때, 함수 $f(x)$는 그 열린구간에서 연속이라 한다. 또 어떤 열린구간에서 연속인 함수를 그 열린구간에서의 **❶** [ ] 라 한다.

참고 연속함수의 성질

두 함수 $f(x)$, $g(x)$가 $x=a$에서 연속이면 다음 함수도 $x=a$에서 연속이다.

> ❶ $cf(x)$ (단, c는 상수)
> ❷ $f(x)+g(x)$, $f(x)-g(x)$
> ❸ $f(x)g(x)$
> ❹ $\dfrac{f(x)}{g(x)}$ (단, $g(a)\neq 0$)

어떤 구간에서 두 함수 $f(x)$, $g(x)$가 연속이면 ❶, ❷, ❸, ❹의 함수도 모두 그 구간에서 연속이야.

답 | ❶ 연속함수

 도전 함수 $f(x)=\begin{cases} ax+2 & (x\geq 3) \\ 5 & (x<3) \end{cases}$ 이 $x=3$에서 연속일 때, 상수 a의 값은?

① -3 ② -1 ③ 1 ④ 3 ⑤ 5

 풀이 답 | ③

함수 $f(x)$가 $x=3$에서 연속이므로 $\displaystyle\lim_{x\to 3-}f(x)=\lim_{x\to 3+}f(x)=f(3)$

$\displaystyle\lim_{x\to 3-}$ **❶** [ ] $=\lim_{x\to 3+}(ax+2)=f(3)$

즉 **❷** [ ] $+2=5$이므로 $a=1$

답 ❶ 5 ❷ $3a$

함수 $f(x)$가 **❶**[　] 구간 $[a, b]$에서 **❷**[　] 이면 함수 $f(x)$는 이 닫힌구간에서 반드시 최댓값과 최솟값을 갖는다.

예 닫힌구간 $[-2, 1]$에서 연속인 함수 $f(x)=x^2$의 최댓값과 최솟값 구하기

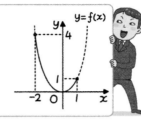

최댓값: $x=-2$일 때,
$$y=(-2)^2=4$$
최솟값: $x=0$일 때, $y=0$

열린구간이나 반닫힌 구간에서는 최댓값 또는 최솟값이 없을 수도 있어.

답| ❶ 닫힌 ❷ 연속

도전 닫힌구간 $[-1, 2]$에서 함수 $f(x)=x^2-2x+2$의 최댓값을 M, 최솟값을 m이라 할 때, $M+m$의 값은?

① -2　　② 0　　③ 2　　④ 4　　⑤ 6

풀이 답| ⑤

주어진 함수는 닫힌구간 $[-1, 2]$에서 연속이므로 최대·최소 정리에 의하여 최댓값과 최솟값이 존재한다. $-1 \leq x \leq 2$일 때 함수 $y=f(x)$의 그래프가 오른쪽 그림과 같으므로 함수 $f(x)$는 $x=-1$에서 최댓값 **❶**[　], $x=$**❷**[　] 에서 최솟값 1을 갖는다.

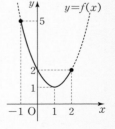

따라서 $M=5$, $m=1$이므로 $M+m=5+1=6$

답 ❶ 5 ❷ 1

12 사잇값의 정리

함수 $f(x)$가 닫힌구간 $[a, b]$에서 **❶ [   ]** 이고 $f(a) \neq f(b)$이면 $f(a)$와 $f(b)$ 사이의 임의의 실수 k에 대하여 $f(c) = k$인 c가 **❷ [   ]** 구간 (a, b)에 적어도 하나 존재한다.

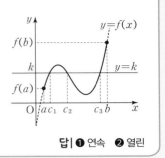

답 | ❶ 연속   ❷ 열린

도전 함수 $f(x) = x^3 + 2x + k$에 대하여 방정식 $f(x) = 0$이 열린구간 $(-1, 0)$에서 적어도 하나의 실근을 가질 때, 모든 정수 k의 값의 합을 구하시오.

풀이 답 | 3

함수 $f(x)$는 모든 실수 x에서 연속이고
$f(-1)f(0) < 0$이어야 하므로

$($ **❶ [   ]** $)k < 0$ $\therefore 0 < k < 3$

따라서 정수 k는 1, **❷ [   ]** 로 그 합은
$1 + 2 = 3$

$f(-1)$과 $f(0)$ 사이에 0이 있으면 사잇값의 정리에 의하여 $f(c) = 0$인 c가 열린구간 $(-1, 0)$에 적어도 하나 존재한다.

답 ❶ $k-3$ ❷ 2

함수 $y=f(x)$에서 x의 값이 a에서 b까지 변할 때의 평균변화율은

$$\frac{\Delta y}{\Delta x}=\frac{f(b)-f(a)}{\boxed{\text{❶}}}$$

참고 평균변화율과 직선의 기울기

답 | ❶ $b-a$

도전 함수 $f(x)=x^3+8x$에서 x의 값이 0에서 2까지 변할 때의 평균변화율은?

① 4   ② 6   ③ 8   ④ 10   ⑤ 12

풀이 답 | ⑤

함수 $f(x)=x^3+8x$에서 x의 값이 0에서 2까지 변할 때의 평균변화율은

$$\frac{f(2)-\boxed{\text{❶}}}{2-0}=\frac{24-0}{2}=\boxed{\text{❷}}$$

답 ❶ $f(0)$ ❷ 12

◆ 함수 $y=f(x)$의 $x=a$에서의 순간변화율 또는 미분계수는

$$f'(a)=\lim_{\Delta x \to 0}\frac{f(a+\Delta x)-f(a)}{\Delta x}=\lim_{x \to a}\frac{f(x)-f(a)}{\boxed{❶}}$$

◆ 함수 $y=f(x)$의 $x=a$에서의 미분계수 $f'(a)$가 존재하면 함수 $f(x)$는 $x=a$에서 ❷ $\boxed{}$ 하다고 한다.

참고 미분계수의 기하적 의미

함수 $y=f(x)$가 $x=a$에서 미분가능할 때, $x=a$에서의 미분계수 $f'(a)$는 곡선 $y=f(x)$ 위의 점 $(a, f(a))$에서의 접선의 기울기이다.

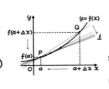

함수 $y=f(x)$에서 x의 값이 a에서 $a+\Delta x$까지 변할 때의 평균변화율은 두 점 P, Q를 지나는 직선의 기울기야.

답 | ❶ $x-a$ ❷ 미분가능

 함수 $f(x)=x^2-x$에 대하여 $f'(2)$의 값은?

① -3 　　 ② -1 　　 ③ 1 　　 ④ 3 　　 ⑤ 5

 답 | ④

$$f'(2)=\lim_{x \to 2}\frac{f(x)-\boxed{❶}}{x-2}$$

$$=\lim_{x \to 2}\frac{x^2-x-2}{x-2}=\lim_{x \to 2}\frac{(x+1)(x-2)}{x-2}$$

$$=\lim_{x \to 2}(\boxed{❷})=3$$

답 ❶ $f(2)$　❷ $x+1$

함수 $y=f(x)$가 $x=a$에서 미분가능하면 $f(x)$는 $x=a$에서 **❶** [   ]이다.

예 연속이지만 미분가능하지 않은 함수

함수 $f(x)=|x|$에 대하여 $y=f(x)$의 그래프는 다음 그림과 같으므로 $x=0$에서 연속이지만 미분가능하지 않다.

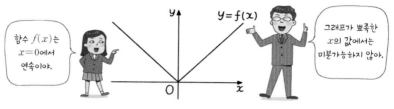

답| **❶** 연속

도전 함수 $f(x)=\begin{cases} x^2 & (x\leq 1) \\ 2x+a & (x>1) \end{cases}$ 이 $x=1$에서 미분가능할 때, 상수 a의 값은?

① -3 ② -2 ③ -1 ④ 0 ⑤ 1

답| ③

함수 $f(x)$는 $x=1$에서 미분가능하므로 $x=1$에서 **❶** [   ]이다.

즉 $\lim\limits_{x\to 1-} f(x) = \lim\limits_{x\to 1+} f(x) = f(1)$이므로

$\lim\limits_{x\to 1-}$ **❷** [   ] $= \lim\limits_{x\to 1+}(2x+a) = f(1)$

$1=2+a$ $\quad \therefore a=-1$

답 **❶** 연속 **❷** x^2

16 도함수

미분가능한 함수 $y=f(x)$의 도함수는

$$f'(x)=\lim_{\Delta x \to 0}\frac{f(x+\Delta x)-f(x)}{\Delta x}=\lim_{h \to 0}\frac{f(x+h)-f(x)}{h}$$

이때 기호로

$$f'(x),\, y',\, \frac{\boxed{❶}}{dx},\, \frac{d}{dx}f(x)$$

와 같이 나타낸다. 또 함수 $y=f(x)$의 도함수 $f'(x)$를 구하는 것을 함수 $f(x)$를 x에 대하여 미분한다고 하며, 그 계산법을 ❷ $\boxed{}$ 이라 한다.

함수 $f(x)$의 $x=a$에서의 미분계수 $f'(a)$는 도함수 $f'(x)$에 $x=a$를 대입한 값과 같아.

답 | ❶ dy ❷ 미분법

도전 함수 $f(x)=x^2+2x$의 도함수는?

① $f'(x)=-2(x+1)$　② $f'(x)=-2x+1$　③ $f'(x)=2x+1$

④ $f'(x)=2(x+1)$　⑤ $f'(x)=2x+3$

풀이 답 | ④

$$f'(x)=\lim_{h \to 0}\frac{f(x+h)-f(x)}{\boxed{❶}}$$

$$=\lim_{h \to 0}\frac{\{(x+h)^2+2(x+h)\}-(x^2+2x)}{h}$$

$$=\lim_{h \to 0}\frac{h^2+2(x+1)h}{h}$$

$$=\lim_{h \to 0}\{h+2(x+1)\}=\boxed{❷}$$

답 ❶ h ❷ $2(x+1)$

17 함수 $f(x)=x^n$과 상수함수의 도함수

① $f(x)=x^n$ (n은 2 이상의 양의 정수)의 도함수 $\Rightarrow f'(x)=nx^{n-1}$

② $f(x)=x$의 도함수 $\Rightarrow f'(x)=1$

③ $f(x)=c$ (c는 상수)의 도함수 $\Rightarrow f'(x)=$ ❶

예 함수 $f(x)=x^5$의 도함수 구하기

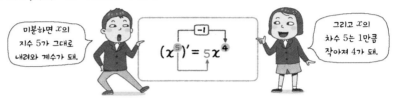

미분하면 x의 지수 5가 그대로 내려와 계수가 돼.

$(x^5)'=5x^4$

그리고 x의 차수 5는 1만큼 작아져 4가 돼.

답ㅣ❶ 0

도전 두 함수 $f(x)=x^3$, $g(x)=5$에 대하여 $f'(2)+g'(1)$의 값은?

① 11　　　② 12　　　③ 13　　　④ 14　　　⑤ 15

풀이 답ㅣ②

$f'(x)=3x^{3-1}=$ ❶ 이므로 $f'(2)=3\cdot4=12$

함수 $g(x)$는 상수함수이므로 $g'(x)=$ ❷

$\therefore f'(2)+g'(1)=12+0=12$

답 ❶ $3x^2$ ❷ 0

18 함수의 미분법

두 함수 $f(x)$, $g(x)$가 미분가능할 때

❶ $\{cf(x)\}'=$ ❶⬚ (단, c는 상수)

❷ $\{f(x)+g(x)\}'=f'(x)+g'(x)$

❸ $\{f(x)-g(x)\}'=f'(x)-g'(x)$

예 두 함수 $f(x)=2x^2+x$, $g(x)=-x^2+2$에 대하여 ❷ 증명하기

정말 도함수가 같네.

$f(x)+g(x)=2x^2+x+(-x^2+2)$
$\qquad =x^2+x+2$
$\therefore \{f(x)+g(x)\}'=(x^2+x+2)'$
$\qquad\qquad\qquad = 2x+1$

$f'(x)=4x+1,\ g'(x)=-2x$
$\therefore\ f'(x)+g'(x)=4x+1+(-2x)$
$\qquad\qquad\qquad = 2x+1$

답| ❶ $cf'(x)$

 도전 함수 $f(x)=x^3-2x^2-3x+4$에 대하여 $f'(1)$의 값은?

① -4　　② -3　　③ -2　　④ -1　　⑤ 0

 풀이 답| ①

$f'(x)=3x^2-4x-$ ❶⬚ 이므로

$f'(1)=$ ❷⬚

답 ❶ 3　❷ -4

19 함수의 곱의 미분법

두 함수 $f(x)$, $g(x)$가 미분가능할 때

$$\{f(x)g(x)\}' = f'(x)g(x) + \boxed{\text{❶}}$$

예 함수 $y = (2x+1)(x-1)$의 도함수 구하기

> $y = (2x+1)(x-1)$일 때,
> $y' = (2x+1)'(x-1) + (2x+1)(x-1)'$
> $\quad = 2(x-1) + (2x+1)$
> $\quad = 4x-1$

주어진 함수를
$y = 2x^2 - x - 1$로
전개한 후 미분한
것과 같아.

답| ❶ $f(x)g'(x)$

 도전 함수 $f(x) = (x^2 - x)(x+2)$에 대하여 $f'(-1)$의 값은?

① -2　　　　② -1　　　　③ 0　　　　④ 1　　　　⑤ 2

 풀이 답| ②

$$f'(x) = (x^2-x)'(x+2) + (x^2-x)(x+2)'$$
$$= (\boxed{\text{❶}})(x+2) + x^2 - x$$
$$= 3x^2 + 2x - 2$$
$$\therefore f'(-1) = 3 - 2 - 2 = \boxed{\text{❷}}$$

답 ❶ $2x-1$　❷ -1

곡선 $y = f(x)$ 위의 점 $(a, f(a))$에서의 접선의 방정식은

$$y = f'(\boxed{❶ \quad})(x-a) + f(a)$$

예 곡선 $y = x^2 + 3x - 1$ 위의 점 $(-1, -3)$에서의 접선의 방정식 구하기

$f(x) = x^2 + 3x - 1$이라 하면 $f'(x) = 2x + 3$
$f'(-1) = -2 + 3 = 1$ 이므로 점 $(-1, -3)$에
서의 접선의 방정식은
$y = 1 \cdot (x+1) - 3$ ∴ $y = x - 2$

점 (a, b)를 지나고
기울기가 m인 직선의
방정식은
$y = m(x-a) + b$야.

답 | ❶ a

 곡선 $y = x^3 + x$ 위의 점 $(1, 2)$에서의 접선의 방정식이 $y = mx + n$일 때, mn의 값은? (단, m, n은 상수)

① -8 　　 ② -4 　　 ③ 0 　　 ④ 4 　　 ⑤ 8

 답 | ①

$f(x) = x^3 + x$라 하면 $f'(x) = \boxed{❶ \quad}$

$f'(1) = 3 + 1 = 4$이므로 점 $(1, 2)$에서의 접선의 방정식은

$y = 4(x-1) + \boxed{❷ \quad}$ 　　　 ∴ $y = 4x - 2$

따라서 $m = 4, n = -2$이므로

$mn = 4 \cdot (-2) = -8$

답 ❶ $3x^2 + 1$ ❷ 2

곡선 $y=f(x)$에 접하고 기울기가 m인 접선의 방정식은 다음 순서로 구한다.

❶ 접점의 좌표를 $(a, f(a))$로 놓는다.

❷ $f'(a)=$ ⬛❶ 을 만족시키는 접점의 좌표를 구한다.

❸ 접선의 방정식 $y=m(x-a)+$ ⬛❷ 를 구한다.

왜 ❷에서
$f'(a)=m$
으로 놓는 거야?

곡선 $y=f(x)$ 위의 점 $(a, f(a))$
에서의 접선의 기울기는 $x=a$에서의
미분계수 $f'(a)$랑 같다는 것을
이용해서 접점의 좌표를 구하는 거야.

답| ❶ m ❷ $f(a)$

 도전 곡선 $y=x^2$에 접하고 기울기가 -2인 접선의 방정식이 $y=mx+n$일 때, mn의 값은? (단, m, n은 상수)

① -2 ② -1 ③ 0 ④ 1 ⑤ 2

 풀이 답| ⑤

$f(x)=x^2$으로 놓으면 $f'(x)=$ ⬛❶

접점의 좌표를 (a, a^2)이라 하면 $f'(a)=2a=-2$

$\therefore a=-1$

즉 접점의 좌표가 $(-1,$ ⬛❷ $)$이므로 구하는 접선의 방정식은

$y=-2(x+1)+1$ $\therefore y=-2x-1$

따라서 $m=-2$, $n=-1$이므로 $mn=-2\cdot(-1)=2$

답 ❶ $2x$ ❷ 1

곡선 밖의 한 점 (a, b)에서 곡선 $y=f(x)$에 그은 접선의 방정식은 다음 순서로 구한다.

❶ 접선의 방정식을 $y-f(t)=\boxed{❶}(x-t)$로 놓고, 점 (a, b)를 지날 때의 t의 값을 구한다.

❷ ❶에서 구한 t의 값을 $y-f(t)=f'(t)(x-t)$에 대입하여 접선의 방정식을 구한다.

답 | ❶ $f'(t)$

도전 점 $(1, 0)$에서 곡선 $y=-x^2$에 그은 접선의 방정식 중에서 기울기가 음수인 방정식이 $y=mx+n$일 때, mn의 값을 구하시오. (단, m, n은 상수)

풀이 답 | -16

$f(x)=-x^2$으로 놓으면 $f'(x)=\boxed{❶}$

접점의 좌표를 $(a, -a^2)$이라 하면 접선의 기울기는 $f'(a)=-2a$이므로 접선의 방정식은

$y=-2a(x-a)-a^2$ $\therefore y=-2ax+a^2$ ······ ㉠

이때 이 접선이 점 $(1, 0)$을 지나므로 $0=-2a+a^2$

$a(a-2)=0$ $\therefore a=2 \ (\because a>0)$

$a=2$를 ㉠에 대입하면 구하는 접선의 방정식은

$y=-4x+\boxed{❷}$

따라서 $m=-4$, $n=4$이므로 $mn=-4\cdot 4=-16$

기울기가 음수, 즉 $-2a<0$에서 $a>0$ 이어야 해.

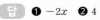

답 ❶ $-2x$ ❷ 4

함수 $f(x)$가 닫힌구간 $[a, b]$에서 연속이고
열린구간 (a, b)에서 미분가능할 때,
$f(a)=f(b)$이면 $f'(c)=$ **❶** 인 c가 열린
구간 (a, b)에 적어도 하나 존재한다.

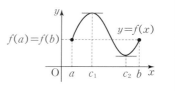

답| **❶** 0

함수 $f(x)=-x^3+3x^2-2$에 대하여 닫힌구간 $[-1, 2]$에서 롤의 정리를
만족시키는 c의 값은?

① -2　　　② -1　　　③ 0　　　④ 1　　　⑤ 2

답| ③

함수 $f(x)$는 닫힌구간 $[-1, 2]$에서 연속이고 열린
구간 $(-1, 2)$에서 미분가능하다.

또 $f(-1)=$ **❶** $=2$이므로 롤의 정리에 의하여
$f'(c)=0$인 c가 열린구간 $(-1, 2)$에 적어도 하나
존재한다.

이때 $f'(x)=-3x^2+$ **❷** 이므로

$f'(c)=-3c^2+6c=0$

$-3c(c-2)=0$　　　$\therefore c=0 \ (\because -1<c<2)$

함수 $f(x)$가 닫힌구간에서
연속이고 열린구간에서 미분
가능함을 꼭 확인해야 돼.

답 **❶** $f(2)$　**❷** $6x$

함수 $f(x)$가 닫힌구간 $[a, b]$에서 **❶** 이고 열린구간 (a, b)에서 미분가능하면

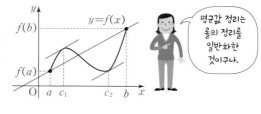

$$\frac{f(b)-f(a)}{b-a}=f'(c)$$

인 c가 열린구간 (a, b)에 적어도 하나 존재한다.

답| ❶ 연속

 도전 함수 $f(x)=-x^2+x+1$에 대하여 닫힌구간 $[1, 3]$에서 평균값 정리를 만족시키는 c의 값은?

① 1　　② $\dfrac{3}{2}$　　③ 2　　④ $\dfrac{5}{2}$　　⑤ 3

 풀이 답| ③

함수 $f(x)$는 닫힌구간 $[1, 3]$에서 연속이고 열린구간 $(1, 3)$에서 미분가능하므로 평균값 정리에 의하여

$$f'(c)=\frac{\boxed{❶}-f(1)}{3-1}=\frac{-5-1}{2}=-3$$

을 만족시키는 c가 열린구간 $(1, 3)$에 적어도 하나 존재한다.

이때 $f'(x)=\boxed{❷}+1$이므로

$$f'(c)=-2c+1=-3 \qquad \therefore c=2$$

답 ❶ $f(3)$　❷ $-2x$

◆ 함수 $f(x)$가 어떤 구간에 속하는 임의의 두 실수 x_1, x_2에 대하여 $x_1 < x_2$일 때

① $f(x_1) < f(x_2)$이면 $f(x)$는 이 구간에서 증가한다.

② $f(x_1) > f(x_2)$이면 $f(x)$는 이 구간에서 ❶ ☐ 한다.

◆ 함수 $f(x)$가 어떤 구간에서 미분가능하고 이 구간의 모든 x에 대하여

① $f'(x) >$ ❷ ☐ 이면 $f(x)$는 이 구간에서 증가한다.

② $f'(x) < 0$이면 $f(x)$는 이 구간에서 감소한다.

예 함수 $f(x)$의 증가와 감소 조사하기

함수 $f(x)$는 구간 $(-\infty, a]$, $[b, \infty)$에서 증가하고, 구간 $[a, b]$에서 감소해.

답| ❶ 감소 ❷ 0

도전 구간 $[1, 3]$에서 함수 $f(x) = x^3 + 2$의 증가와 감소를 조사하시오.

풀이 답| 증가

$f(x) = x^3 + 2$에서 $f'(x) =$ ❶ ☐

따라서 구간 $[1, 3]$에서 $f'(x) >$ ❷ ☐ 이므로 $f(x)$는 이 구간에서 증가한다.

답 ❶ $3x^2$ ❷ 0

◆ 함수 $f(x)$가 실수 a를 포함하는 어떤 열린구간에 속하는 모든 x에 대하여

❶ $f(x) \leq f(a)$이면 함수 $f(x)$는 $x=a$에서 극대이고, 극댓값 $f(a)$를 갖는다.

❷ $f(x) \geq f(a)$이면 함수 $f(x)$는 $x=a$에서 극소이고, 극솟값 $f(a)$를 갖는다.

이때 극댓값과 극솟값을 통틀어 ❶ [ ] 이라 한다.

◆ **극값과 미분계수**

미분가능한 함수 $f(x)$가 $x=a$에서 극값을 가지면 $f'(a)=$ ❷ [ ]

例 함수 $f(x)$의 극대와 극소 조사하기

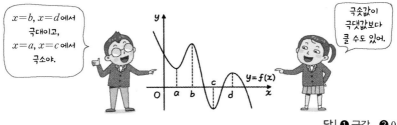

$x=b, x=d$에서 극대이고, $x=a, x=c$에서 극소야.

극솟값이 극댓값보다 클 수도 있어.

답| ❶ 극값 ❷ 0

 도전 함수 $f(x) = -x^3 + 3x^2 + 1$이 $x=a$에서 극값을 가질 때, 모든 상수 a의 값의 합은?

① -4 ② -2 ③ 0 ④ 2 ⑤ 4

 풀이 답| ④

$f'(x) = -3x^2 +$ ❶ [ ] 이므로 $f'(a)=0$에서

$-3a^2 + 6a = 0$, $-3a(a-2) = 0$ $\therefore a=0$ 또는 $a=$ ❷ [ ]

따라서 구하는 합은 $0+2=2$

 답 ❶ $6x$ ❷ 2

함수 $f(x)$가 미분가능하고 $f'(a)=$ ❶ ☐ 일 때, $x=a$의 좌우에서 $f'(x)$의 부호가

❶ 양에서 음으로 바뀌면 함수 $f(x)$는 $x=a$에서 ❷ ☐ 이고, 극댓값 $f(a)$를 갖는다.

❷ 음에서 양으로 바뀌면 함수 $f(x)$는 $x=a$에서 극소이고, 극솟값 $f(a)$를 갖는다.

참고 함수의 극대와 극소

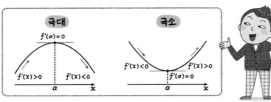

극대, 극소를 판정할 때는 $f'(x)=0$인 x의 값의 좌우에서 $f'(x)$의 부호를 조사하면 알 수 있어.

답 | ❶ 0   ❷ 극대

도전 함수 $f(x)=\dfrac{1}{3}x^3-9x+3$이 $x=a$에서 극댓값, $x=b$에서 극솟값을 가질 때, $a-b$의 값을 구하시오.

풀이 답 | -6

$f'(x)=x^2-9=(x+3)(x-3)=0$에서 $x=-3$ 또는 $x=$ ❶ ☐

x	$\cdots$	-3	$\cdots$	3	$\cdots$
$f'(x)$	$+$	0	$-$	0	$+$
$f(x)$	↗	21	↘	-15	↗

즉 함수 $f(x)$는 $x=-3$에서 극댓값 21, $x=3$에서 극솟값 ❷ ☐ 를 가지므로 $a=-3$, $b=3$ ∴ $a-b=-3-3=-6$

답 ❶ 3   ❷ -15

28 함수의 그래프

일반적으로 미분가능한 함수 $y=f(x)$의 그래프는 다음 순서로 그린다.

❶ 도함수 $f'(x)$를 구한다.

❷ $f'(x)=$ ⬛❶ 인 x의 값을 구하여 함수 $f(x)$의 증가와 감소를 표로 나타내고, ⬛❷ 을 구한다.

❸ 함수 $y=f(x)$의 그래프와 x축 또는 y축의 교점의 좌표를 구한다.

❹ 함수 $y=f(x)$의 그래프의 개형을 그린다.

답| ❶ 0   ❷ 극값

 도전 함수 $f(x)=x^3-3x^2$의 그래프의 개형을 그리시오.

 풀이 답| 풀이 참조

$f'(x)=$ ⬛❶ $=3x(x-2)$

$f'(x)=0$에서 $x=0$ 또는 $x=2$

 $f'(x)=0$이 되는 x의 값을 구하고,

x	$\cdots$	0	$\cdots$	2	$\cdots$
$f'(x)$	$+$	0	$-$	0	$+$
$f(x)$	↗	0	↘	❷	↗

 함수 $f(x)$의 증가, 감소를 표로 나타낸 다음~

즉 함수 $y=f(x)$의 그래프의 개형은 오른쪽 그림과 같다.

 짜잔~ 그래프는 이렇게 생겼어!

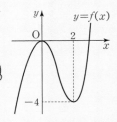

답 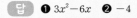 ❶ $3x^2-6x$ ❷ -4

함수 $f(x)$가 닫힌구간 $[a, b]$에서 $\boxed{\text{❶ \quad}}$ 이고, 이 닫힌구간에서 극값을 가지면

$\qquad f(x)$의 극값, $f(a)$, $f(b)$

중에서 가장 큰 값이 $f(x)$의 최댓값이고, 가장 작은 값이 $f(x)$의 $\boxed{\text{❷ \quad}}$ 이다.

참고

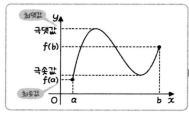

극댓값과 최댓값, 극솟값과 최솟값이 반드시 일치하는 것은 아니야.

답| ❶ 연속 ❷ 최솟값

 구간 $[-1, 3]$에서 함수 $f(x)=x^3-3x+5$의 최댓값을 M, 최솟값을 m이라 할 때, $M+m$의 값은?

① 20   ② 22   ③ 24   ④ 26   ⑤ 28

 답| ④

$f'(x)=3x^2-3=3(x+1)(\boxed{\text{❶ \quad}})=0$에서 $x=-1$ 또는 $x=1$

x	-1	$\cdots$	1	$\cdots$	3
$f'(x)$	0	$-$	0	$+$	
$f(x)$	7	$\searrow$	3	$\nearrow$	23

즉 $-1 \leq x \leq 3$일 때, 함수 $f(x)$는 $x=3$에서 최댓값 23, $x=1$에서 최솟값 $\boxed{\text{❷ \quad}}$ 을 가지므로 $M=23$, $m=3$ $\qquad \therefore M+m=23+3=26$

 답 ❶ $x-1$ ❷ 3

◆ 방정식 $f(x)=g(x)$의 실근의 개수

방정식 $f(x)=g(x)$의 실근은 두 함수 $y=f(x)$, $y=g(x)$의 그래프의 교점의 **❶** 좌표와 같다. 따라서 방정식 $f(x)=g(x)$의 서로 다른 실근의 개수는 두 함수 $y=f(x)$, $y=$ **❷** 의 그래프의 교점의 개수와 같다.

예 방정식 $x^3-12x+6=0$의 서로 다른 실근의 개수 구하기

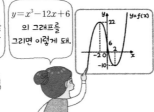

방정식
$x^3-12x+6=0$의
서로 다른 실근의 개수는
어떻게 구할 수 있을까?

좌변의 인수분해가
어려워서 실근을 직접
구하는 것보다 그래프를
이용하면 더 쉽게 구할
수 있을 것 같아.

$y=x^3-12x+6$
의 그래프를
그리면 이렇게 돼.

함수의 그래프와
x축의 교점이 3개이니까
방정식의 서로 다른
실근의 개수도 3이겠네.

답 | ❶ x ❷ $g(x)$

도전 함수 $y=f(x)$의 그래프가 오른쪽 그림과 같을 때, 방정식 $f(x)=a$가 서로 다른 세 실근을 갖도록 하는 모든 실수 a의 값의 합을 구하시오.

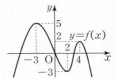

풀이 답 | -1

방정식 $f(x)=a$의 서로 다른 실근의 개수는 함수 $y=f(x)$의 그래프와 직선 $y=$ **❶** 의 교점의 개수와 같다. 주어진 방정식이 서로 다른 세 실근을 갖도록 하는 실수 a의 값은 $a=$ **❷** 또는 $a=2$

따라서 구하는 합은 $-3+2=-1$

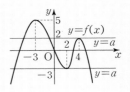

답 ❶ a ❷ -3

◆ 어떤 구간에서 부등식 $f(x) \geq 0$이 성립하는 것을 증명할 때는 그 구간에서
　(함수 $f(x)$의) ≥ 0임을 보인다.

◆ 어떤 구간에서 부등식 $f(x) \geq g(x)$가 성립하는 것을 증명할 때는
　$h(x) =$ 로 놓고 그 구간에서 (함수 $h(x)$의 최솟값) ≥ 0임을
　보인다.

답| ❶ 최솟값　❷ $f(x) - g(x)$

도전 $x \geq 0$일 때, 부등식 $4x^3 - 3x + k \geq 0$이 성립하도록 하는 정수 k의 최솟값
은?

① 1　　　　② 2　　　　③ 3　　　　④ 4　　　　⑤ 5

풀이 **답|** ①

$f(x) = 4x^3 - 3x + k$라 하면 $f'(x) = 12x^2 - 3 = 3(2x+1)(2x-1)$

$f'(x) = 0$에서 $x =$ ❶□ ($\because x \geq 0$)

x	0	$\cdots$	$\dfrac{1}{2}$	$\cdots$
$f'(x)$		$-$	0	$+$
$f(x)$	k	$\searrow$	$k-1$	$\nearrow$

부등식을 증명하는 것은 주어진 범위에서 함수의 그래프의 개형을 그려서 함수의 최댓값 또는 최솟값을 구하는 문제구나.

즉 함수 $f(x)$는 $x = \dfrac{1}{2}$에서 최솟값 $k-1$을 가지므로

❷□ ≥ 0　　$\therefore k \geq 1$

따라서 구하는 정수 k의 최솟값은 1이다.

답 ❶ $\dfrac{1}{2}$　❷ $k-1$

수직선 위를 움직이는 점 P의 시각 t에서의 위치 x가 $x=f(t)$일 때, 시각 t에서의 점 P의 속도 v와 가속도 a는

❶ $v=\boxed{}=f'(t)$

❷ $a=\dfrac{dv}{dt}$

예 수직선 위를 움직이는 점의 속도와 가속도 구하기

답 ❶ $\dfrac{dx}{dt}$

도전

원점을 출발하여 수직선 위를 움직이는 점 P의 시각 t에서의 위치 x가 $x=-2t^2+3t$일 때, 시각 $t=1$에서 점 P의 속도는?

① -4 ② -3 ③ -2 ④ -1 ⑤ 1

풀이

답 ④

시각 t에서 점 P의 속도를 v라 하면

$v=\dfrac{dx}{dt}=\boxed{}+3$

따라서 시각 $t=1$에서 점 P의 속도는

$-4+3=\boxed{}$

답 ❶ $-4t$ ❷ -1

33 부정적분

◆ 부정적분

$F'(x)=f(x)$일 때, $\displaystyle\int f(x)\,dx=F(x)+C$ (단, C는 적분상수)

◆ 함수 $y=x^n$과 함수 $y=1$의 부정적분 (단, C는 적분상수)

❶ 함수 $y=x^n$ (n은 양의 정수)의 부정적분은 $\displaystyle\int x^n\,dx=\dfrac{1}{n+1}x^{n+1}+C$

❷ 함수 $y=1$의 부정적분은 $\displaystyle\int 1\,dx=\boxed{\text{❶}}+C$

예 함수 $y=x^n$ (n은 양의 정수)의 부정적분

$$\left(\tfrac{1}{2}x^2\right)'=x \;\Rightarrow\; \int x^1\,dx=\tfrac{1}{2}x^2+C$$

$$\left(\tfrac{1}{3}x^3\right)'=x^2 \;\Rightarrow\; \int x^2\,dx=\tfrac{1}{3}x^3+C$$

$$\left(\tfrac{1}{4}x^4\right)'=x^3 \;\Rightarrow\; \int x^3\,dx=\tfrac{1}{4}x^4+C$$

적분을 하면 차수는 1만큼 커지고 계수는 커진 차수의 역수와 같네.

답 | ❶ x

 도전 부정적분 $\displaystyle\int x^3\,dx$는? (단, C는 적분상수)

① $\dfrac{1}{4}x^4$ 　　　② $\dfrac{1}{4}x^3+C$ 　　　③ $\dfrac{1}{4}x^4+C$

④ $3x^4+C$ 　　　⑤ x^4+C

 답 | ③

$$\int x^3\,dx=\frac{1}{\boxed{\text{❶}}+1}x^{3+1}+C=\frac{1}{4}x^4+C$$

답 ❶ 3

◆ 함수의 실수배, 합, 차의 부정적분

두 함수 $f(x)$, $g(x)$에 대하여

❶ $\displaystyle\int kf(x)\,dx = k\int f(x)\,dx$ (단, k는 0이 아닌 상수)

❷ $\displaystyle\int \{\boxed{❶}\}\,dx = \int f(x)\,dx + \int g(x)\,dx$

❸ $\displaystyle\int \{f(x)-g(x)\}\,dx = \int f(x)\,dx - \int g(x)\,dx$

예

$$\int (3x^2-2x+1)dx$$
$$= \int 3x^2 dx - \int 2x\,dx + \int 1\,dx$$
$$= 3\int x^2 dx - 2\int x\,dx + \int 1\,dx$$
$$= 3\left(\frac{1}{3}x^3+C_1\right) - 2\left(\frac{1}{2}x^2+C_2\right) + x + C_3$$
$$= x^3 - x^2 + x + C$$
$$(\text{단, } 3C_1-2C_2+C_3 = C)$$

함수 $y=x^n$의 부정적분과 함수의 실수배, 합, 차의 부정적분을 이용해서 다항함수의 부정적분을 구할 수 있어.

답 | ❶ $f(x)+g(x)$

 도전 부정적분 $\displaystyle\int (x^2+2x)\,dx + \int (2x^2-2x)\,dx$는? (단, C는 적분상수)

① x^3+x^2 　　② x^3+x^2+C 　　③ x^3+C

④ $3x^3+x^2+C$ 　　⑤ x^3-x^2+C

 답 | ③

$$\int (x^2+2x)\,dx + \int (2x^2-2x)\,dx = \int \{(x^2+2x)+(2x^2-2x)\}\,dx$$

$$= \int \boxed{❶}\,dx = \boxed{❷} + C$$

답 ❶ $3x^2$　❷ x^3

35 부정적분과 미분의 관계

❶ $\dfrac{d}{dx}\displaystyle\int f(x)dx=$ ❶ [____]

❷ $\displaystyle\int\left\{\dfrac{d}{dx}f(x)\right\}dx=f(x)+C$ (단, C는 적분상수)

예 부정적분과 미분의 관계

적분과 미분 중에 무엇을 먼저 하느냐에 따라 결과는 달라져.

$$\dfrac{d}{dx}\int (2x+1)dx=\dfrac{d}{dx}(x^2+x+C)$$
$$=2x+1$$
(단, C는 적분상수)

$$\int\left\{\dfrac{d}{dx}(2x+1)\right\}dx=\int 2\,dx$$
$$=2x+C$$
(단, C는 적분상수)

답| ❶ $f(x)$

 도전 함수 $f(x)$가 $f(x)=\dfrac{d}{dx}\displaystyle\int (x^5-x^3+x)dx$일 때, $f(1)$의 값은?

① -1 ② 1 ③ 3 ④ 5 ⑤ 7

 풀이 답| ②

$$f(x)=\dfrac{d}{dx}\int (x^5-x^3+x)dx=x^5-x^3+\boxed{❶\ \ }\ \text{이므로}$$
$$f(1)=1-1+1=1$$

답 ❶ x

36 정적분

◆ 닫힌구간 $[a, b]$에서 연속인 함수 $f(x)$의 한 부정적분을 $F(x)$라 하면

$$\int_a^b f(x)dx = \Big[F(x) \Big]_a^b = \boxed{❶} - F(a)$$

◆ 함수 $f(x)$가 실수 a, b를 포함하는 열린구간에서 연속일 때

❶ $\displaystyle\int_a^a f(x)dx = \boxed{❷}$

❷ $\displaystyle\int_a^b f(x)dx = -\int_b^a f(x)dx$

 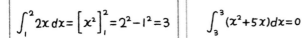

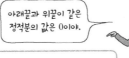

$$\int_1^2 2x\,dx = \Big[x^2 \Big]_1^2 = 2^2 - 1^2 = 3$$

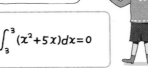

$$\int_3^3 (x^2 + 5x)dx = 0$$

아래끝과 위끝이 같은
정적분의 값은 0이야.

답| ❶ $F(b)$ ❷ 0

 $\displaystyle\int_{-2}^3 (3x^2 - 4x)dx$의 값은?

① 21 　　　② 23 　　　③ 25 　　　④ 27 　　　⑤ 29

 답| ③

$$\int_{-2}^3 (3x^2 - 4x)dx = \Big[x^3 - \boxed{❶} \Big]_{-2}^3$$
$$= 9 - (-16) = 25$$

 ❶ $2x^2$

◆ 함수의 실수배, 합, 차의 정적분

두 함수 $f(x)$, $g(x)$가 두 실수 a, b를 포함하는 열린구간에서 연속일 때

❶ $\int_a^b kf(x)\,dx = k\int_a^b f(x)\,dx$ (단, k는 상수)

❷ $\int_a^b \{f(x)+g(x)\}\,dx = \int_a^b f(x)\,dx + \int_a^b g(x)\,dx$

❸ $\int_a^b \{f(x)-g(x)\}\,dx = \int_a^b f(x)\,dx - \boxed{❶}$

예

$$\int_{-2}^3 (x^2+4)dx + \int_{-2}^3 (2x-3)dx$$
$$= \int_{-2}^3 \{x^2+4+(2x-3)\}dx$$
$$= \int_{-2}^3 (x^2+2x+1)dx$$

아래끝과 위끝이 각각 같으면 정적분의 성질을 이용하여 식을 간단히 할 수 있어.

답| ❶ $\int_a^b g(x)\,dx$

도전

$\int_0^2 \left(\dfrac{1}{2}x^3+2x+1\right)dx - \int_0^2 \left(\dfrac{1}{2}x^3+x\right)dx$의 값은?

① 1   ② 2   ③ 4   ④ 8   ⑤ 16

풀이   답| ③

$$\int_0^2 \left(\frac{1}{2}x^3+2x+1\right)dx - \int_0^2 \left(\frac{1}{2}x^3+x\right)dx$$
$$= \int_0^2 \left\{\frac{1}{2}x^3+2x+1-\left(\frac{1}{2}x^3+x\right)\right\}dx$$
$$= \int_0^2 (\boxed{❶})dx = \left[\frac{1}{2}x^2+\boxed{❷}\right]_0^2 = 4$$

답   ❶ $x+1$ ❷ x

◆ 함수 $f(x)$가 세 실수 a, b, c를 포함하는 열린구간에서 연속일 때

$$\int_a^c f(x)dx + \int_c^b f(x)dx = \boxed{❶ }$$

예

$$\int_1^3 (2x+1)dx + \int_3^2 (2x+1)dx$$

$$= \int_1^2 (2x+1)dx$$

$$= \Big[x^2 + x\Big]_1^2$$

$$= 4$$

이 정적분의 성질은 세 실수 a, b, c의 대소에 관계없이 성립해.

답| ❶ $\int_a^b f(x)dx$

 도전 $\int_{-1}^1 3x^2 dx + \int_1^2 3x^2 dx$의 값은?

① -4 ② -1 ③ 1 ④ 4 ⑤ 9

 풀이 답| ⑤

$$\int_{-1}^1 3x^2 dx + \int_1^2 3x^2 dx = \int_{-1}^2 3x^2 dx$$

$$= \Big[\boxed{❶ } \Big]_{-1}^2$$

$$= \boxed{❷ } - (-1) = 9$$

 답 ❶ x^3 ❷ 8

39 정적분의 계산

◆ 정적분 $\int_{-a}^{a} x^n dx$의 계산

n이 자연수일 때,

❶ n이 짝수이면 $\int_{-a}^{a} x^n dx = 2\int_{0}^{a} x^n dx$

❷ n이 홀수이면 $\int_{-a}^{a} x^n dx = $ ❶ ☐

아래끝과 위끝의 절댓값이 같고 부호가 반대일 때 유용하게 쓸 수 있어.

복잡한 식의 정적분의 값을 구할 때 이용하면 좋겠어.

답| ❶ 0

 도전 $\int_{-1}^{1} (x^5 - x^4 - x^3 + x^2 + x - 1)dx$의 값은?

① -2　　② $-\dfrac{29}{15}$　　③ $-\dfrac{28}{15}$　　④ $-\dfrac{9}{5}$　　⑤ $-\dfrac{26}{15}$

 풀이 답| ⑤

$$\int_{-1}^{1} (x^5 - x^4 - x^3 + x^2 + x - 1)dx = \int_{-1}^{1} (\boxed{❶ \qquad\qquad})dx$$

$$= 2\int_{0}^{1} (-x^4 + x^2 - 1)dx$$

$$= 2\left[\boxed{❷ \qquad} + \frac{1}{3}x^3 - x \right]_{0}^{1}$$

$$= 2 \cdot \left(-\frac{13}{15} \right) = -\frac{26}{15}$$

답 　❶ $-x^4 + x^2 - 1$ 　❷ $-\dfrac{1}{5}x^5$

◆ **정적분과 미분의 관계**

함수 $f(t)$가 닫힌구간 $[a, b]$에서 연속일 때, 열린구간 (a, b)에 속하는 임의의 x에 대하여

$$\frac{d}{dx}\int_a^x f(t)dt = \boxed{① }$$

예

아래끝의 상수가 달라도 결과는 같아!

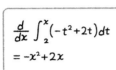

$$\frac{d}{dx}\int_2^x(-t^2+2t)dt$$
$$= -x^2+2x$$

$$\frac{d}{dx}\int_{-7}^x(-t^2+2t)dt$$
$$= -x^2+2x$$

◆ **정적분으로 정의된 함수의 극한**

$$\lim_{x \to a}\frac{1}{\boxed{② }}\int_a^x f(t)\,dt = f(a)$$

답 | ❶ $f(x)$　❷ $x-a$

 도전 함수 $f(x)$가 모든 실수 x에 대하여 $\int_{-1}^x f(t)dt = x^3+2x^2-1$을 만족시킬 때, $f(2)$의 값은?

① 10　　② 20　　③ 30　　④ 40　　⑤ 50

 풀이 답 | ②

주어진 식의 양변을 x에 대하여 미분하면

$$f(x) = (x^3+2x^2-1)' = 3x^2 + \boxed{① }$$

$$\therefore f(2) = 12 + \boxed{② } = 20$$

답 ❶ $4x$　❷ 8

◆ 함수 $f(x)$가 닫힌구간 $[a, b]$에서 연속일 때,
곡선 $y=f(x)$와 x축 및 두 직선 $x=a$, $x=b$
로 둘러싸인 도형의 넓이 S는

$$S=\int_a^b |\boxed{❶}| \, dx$$

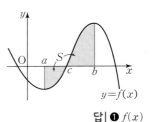

답| ❶ $f(x)$

도전 곡선 $y=x^2-2x-3$과 x축으로 둘러싸인 도형의 넓이는?

① $\dfrac{31}{3}$ ② $\dfrac{32}{3}$ ③ 11   ④ $\dfrac{34}{3}$ ⑤ $\dfrac{35}{3}$

풀이 답| ②
주어진 곡선과 x축의 교점의 x좌표는
$x^2-2x-3=0$, $(x+1)(x-3)=0$
$\therefore$ $x=-1$ 또는 $x=\boxed{❶}$
오른쪽 그림에서 구하는 도형의 넓이는

$$\int_{-1}^{3} \{-(x^2-2x-3)\} \, dx$$

$$=\int_{-1}^{3} (\boxed{❷}) \, dx$$

$$=\left[-\dfrac{1}{3}x^3+x^2+3x \right]_{-1}^{3}$$

$$=\dfrac{32}{3}$$

넓이는 항상 양의 값을
가지므로 함숫값이 음수인 구간
에서는 절댓값을 취해야 해.

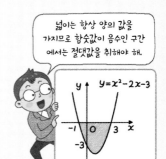

답 ❶ 3   ❷ $-x^2+2x+3$

◆ 두 함수 $f(x)$, $g(x)$가 닫힌구간 $[a, b]$에서 연속일 때, 두 곡선 $y=f(x)$, $y=g(x)$ 및 두 직선 $x=a$, $x=b$로 둘러싸인 도형의 넓이 S는

$$S=\int_a^b |f(x)-\boxed{❶}|\,dx$$

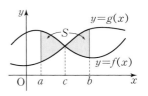

답| ❶ $g(x)$

 도전 곡선 $y=x^2-x$와 직선 $y=-2x+2$로 둘러싸인 도형의 넓이는?

① $\dfrac{1}{2}$ ② $\dfrac{3}{2}$ ③ $\dfrac{5}{2}$ ④ $\dfrac{7}{2}$ ⑤ $\dfrac{9}{2}$

 풀이 답| ⑤

주어진 곡선과 직선의 교점의 x좌표는

$x^2-x=-2x+2$, $x^2+x-2=0$

$(x-1)(x+2)=0$ ∴ $x=\boxed{❶}$ 또는 $x=1$

오른쪽 그림에서 구하는 도형의 넓이는

$$\int_{-2}^1 \{-2x+2-(x^2-x)\}dx$$

$$=\int_{-2}^1 (-x^2-x+2)dx$$

$$=\left[-\frac{1}{3}x^3-\boxed{❷}+2x\right]_{-2}^1$$

$$=\frac{9}{2}$$

먼저 두 곡선의 그래프를 그려서 함숫값의 대소 관계를 확인해 봐.

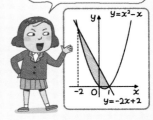

답 ❶ -2 ❷ $\dfrac{1}{2}x^2$

◆ 수직선 위를 움직이는 점 P의 시각 t에서의 속도가 $v(t)$일 때, 시각 $t=a$에서의 위치를 x_0이라 하면

  ❶ 시각 t에서 점 P의 위치 x는

$$x = \boxed{❶} + \int_a^t v(t)\,dt$$

  ❷ 시각 $t=a$에서 $t=b$까지 점 P의 위치의 변화량은 $\int_a^b v(t)\,dt$

수직선 위를 움직이는 점의 위치를 구할 때 출발한 지점의 위치를 잊으면 안 돼.

답| ❶ x_0

원점을 출발하여 수직선 위를 움직이는 점 P의 시각 t에서의 속도 $v(t)$가 $v(t)=3t^2+4t$일 때, 시각 $t=2$에서 점 P의 위치는?

① 4   ② 8   ③ 12   ④ 16   ⑤ 20

 답| ④

시각 $t=2$에서 점 P의 위치는

$$\boxed{❶} + \int_0^2 (3t^2+4t)\,dt = \left[\boxed{❷} + 2t^2\right]_0^2$$
$$= 16$$

답 ❶ 0   ❷ t^3

44 움직인 거리

◆ 수직선 위를 움직이는 점 P의 시각 t에서의 속도가 $v(t)$일 때, 시각 $t=a$에서 $t=b$까지 점 P가 움직인 거리 s는

$$s=\int_a^b \boxed{\text{❶}} \, dt$$

참고 속도의 그래프와 t축으로 둘러싸인 도형의 넓이의 의미

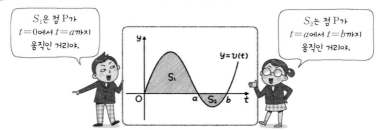

S_1은 점 P가 $t=0$에서 $t=a$까지 움직인 거리야.

S_2는 점 P가 $t=a$에서 $t=b$까지 움직인 거리야.

답| ❶ $|v(t)|$

 도전 원점을 출발하여 수직선 위를 움직이는 점 P의 시각 t에서의 속도 $v(t)$가 $v(t)=-t^2+2t$일 때, 시각 $t=0$에서 $t=3$까지 점 P가 움직인 거리는?

① $\dfrac{1}{3}$　　② 1　　③ $\dfrac{4}{3}$　　④ 2　　⑤ $\dfrac{8}{3}$

 풀이 답| ⑤

시각 $t=0$에서 $t=3$까지 점 P가 움직인 거리는

$$\int_0^3 |-t^2+2t| \, dt = \int_0^2 (-t^2+2t) \, dt + \int_2^3 (\boxed{\text{❶}}) \, dt$$

$$= \left[-\frac{1}{3}t^3 + \boxed{\text{❷}} \right]_0^2 + \left[\frac{1}{3}t^3 - t^2 \right]_2^3$$

$$= \frac{4}{3} + \frac{4}{3} = \frac{8}{3}$$

답 ❶ t^2-2t　❷ t^2

memo

#수능기초
#10일만에
#감각익히기

10일 격파

✦ 빠른 정답 확인

구성과 활용

미리보기

오늘 학습할 내용을 만화로 미리 살펴볼 수 있게 구성하였습니다.

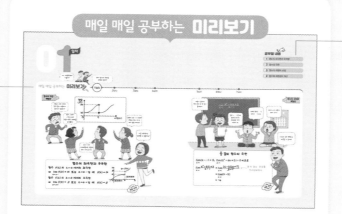

공부할 내용

해당 일차에서 공부할 내용을 정리하였습니다.

핵심체크

수능에서 다루게 되는 개념을 빈칸 채우기를 이용하여 정리하였습니다.

기출 유형&기출 유사

수능에서 출제되었던 문제를 변형한 기출 유형과 기출 유사를 제시하여 문제를 완벽히 익힐 수 있게 하였습니다.

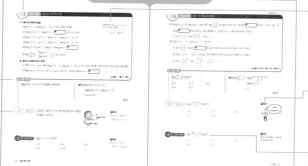

개념 플러스

조금 어려운 개념이나 보충 설명이 필요한 부분을 정리하였습니다.

Tip

문제를 해결하는데 도움이 되는 내용을 제공하였습니다.

기초력 확인

해당 개념을 이해했는지 확인할 수 있는 문제를 제시하였습니다.

기초력 집중드릴

수능 기출 문제를 변형하여 실제 수능에서 반드시 맞혀야 할 문제를 대비할 수 있게 하였습니다.

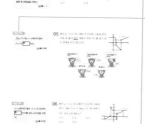

해결 전략

문제를 해결하는데 있어 반드시 알아야 하는 내용, 문제에 접근할 수 있는 실마리를 빈칸 채우기를 이용하여 제공하였습니다.

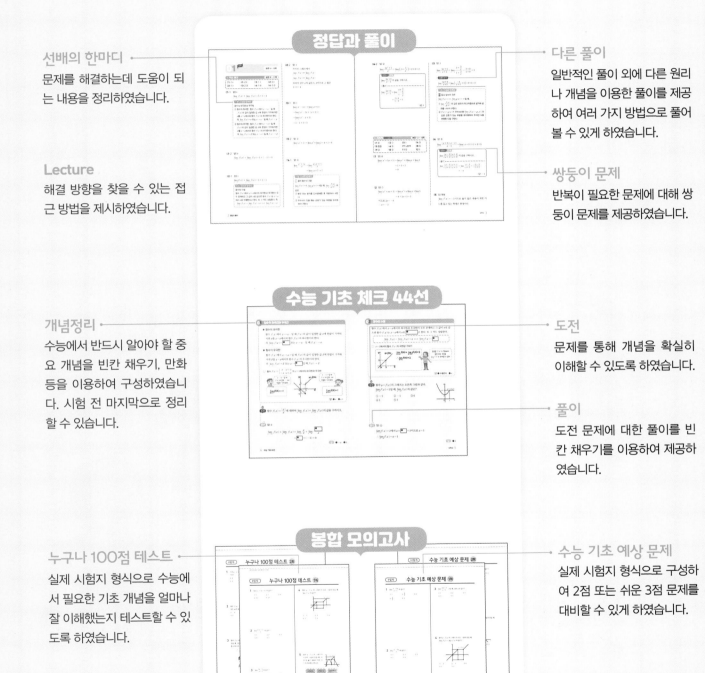

선배의 한마디

문제를 해결하는데 도움이 되는 내용을 정리하였습니다.

Lecture

해결 방향을 찾을 수 있는 접근 방법을 제시하였습니다.

정답과 풀이

다른 풀이

일반적인 풀이 외에 다른 원리나 개념을 이용한 풀이를 제공하여 여러 가지 방법으로 풀어볼 수 있게 하였습니다.

쌍둥이 문제

반복이 필요한 문제에 대해 쌍둥이 문제를 제공하였습니다.

수능 기초 체크 44선

개념정리

수능에서 반드시 알아야 할 중요 개념을 빈칸 채우기, 만화 등을 이용하여 구성하였습니다. 시험 전 마지막으로 정리할 수 있습니다.

도전

문제를 통해 개념을 확실히 이해할 수 있도록 하였습니다.

풀이

도전 문제에 대한 풀이를 빈칸 채우기를 이용하여 제공하였습니다.

봉합 모의고사

누구나 100점 테스트

실제 시험지 형식으로 수능에서 필요한 기초 개념을 얼마나 잘 이해했는지 테스트할 수 있도록 하였습니다.

수능 기초 예상 문제

실제 시험지 형식으로 구성하여 2점 또는 쉬운 3점 문제를 대비할 수 있게 하였습니다.

(1) **좌극한**: 오른쪽 그림과 같이 함수 $f(x)$에서 x의 값이 a보다 작으면서 a에 한없이 가까워질 때, 즉 $x \to \boxed{❶}$ 일 때 $f(x)$의 값이 일정한 값 α에 한없이 가까워지면 α를 $x=a$에서의 함수 $f(x)$의 좌극한이라 하고, $\displaystyle\lim_{x \to a-} f(x) = \alpha$로 나타낸다.

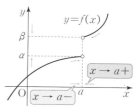

(2) **우극한**: 오른쪽 그림과 같이 함수 $f(x)$에서 x의 값이 a보다 크면서 a에 한없이 가까워질 때, 즉 $x \to a+$일 때 $f(x)$의 값이 일정한 값 β에 한없이 가까워지면 β를 $x=a$에서의 함수 $f(x)$의 $\boxed{❷}$ 이라 하고, $\displaystyle\lim_{x \to a+} f(x) = \boxed{❸}$ 로 나타낸다.

답 | ❶ $a-$ ❷ 우극한 ❸ β

● **기출 유형**

함수 $y=f(x)$의 그래프가 다음 그림과 같을 때, $\displaystyle\lim_{x \to 1+} f(x) + \lim_{x \to 3-} f(x)$의 값을 구하시오.

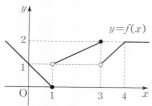

풀이 | $\displaystyle\lim_{x \to 1+} f(x) + \lim_{x \to 3-} f(x) = 1 + 2 = 3$

참고로 $\displaystyle\lim_{x \to 1-} f(x) = 0$, $\displaystyle\lim_{x \to 3+} f(x) = 1$이야.

답 | 3

01-1 기출 유사 함수 $y=f(x)$의 그래프가 오른쪽 그림과 같을 때, $\displaystyle\lim_{x \to 0+} f(x) + \lim_{x \to 2-} f(x)$의 값을 구하시오.

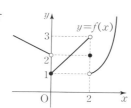

✔TiP
$x \to 0+$일 때는 x의 값이 0보다 크면서 0에 한없이 가까워질 때이다.

01-2 기초력 확인 함수 $y=f(x)$의 그래프가 오른쪽 그림과 같을 때, $\displaystyle\lim_{x \to 0-} f(x) + \lim_{x \to 1+} f(x)$의 값을 구하시오.

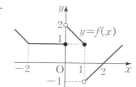

✔TiP
$x \to 0-$일 때는 x의 값이 0보다 작으면서 0에 한없이 가까워질 때이다.

02 핵심 체크 함수의 극한

(1) **함수의 수렴**: 함수 $f(x)$에서 $x=a$에서의 좌극한과 우극한이 모두 존재하고 그 값이 α로 같으면 함수 $f(x)$는 $x=a$에서 α로 ❶ ⬜⬜⬜ 고 한다. 이때 $\lim_{x \to a} f(x)$가 존재하고 그 극한값은 α이다. 또 그 역도 성립한다.

$$\lim_{x \to a-} f(x) = \lim_{x \to a+} f(x) = \alpha \iff ❷ \boxed{} = \alpha$$

(2) **함수의 발산**: 함수 $f(x)$에서 $x=a$에서의 좌극한 또는 우극한이 존재하지 않거나 좌극한과 우극한이 모두 존재하더라도 그 값이 서로 다르면 함수 $f(x)$는 $x=a$에서 ❸ ⬜⬜⬜ 고 한다. 이때 $\lim_{x \to a} f(x)$의 값은 존재하지 않는다고 한다.

답| ❶ 수렴한다 ❷ $\lim_{x \to a} f(x)$ ❸ 발산한다

● 기출 유형

함수 $y=f(x)$의 그래프가 다음 그림과 같다.
$f(-1) + \lim_{x \to 0} f(x)$의 값을 구하시오.

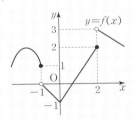

풀이| $f(-1) + \lim_{x \to 0} f(x) = 1 + (-1) = 0$

참고로 $\lim_{x \to -1-} f(x) = 1$,
$\lim_{x \to -1+} f(x) = 0$이므로
함수 $f(x)$는 $x=-1$에서
발산해.

답| 0

02-1 기출 유사 함수 $y=f(x)$의 그래프가 오른쪽 그림과 같다.
$\lim_{x \to 0} f(x) \times \lim_{x \to 2+} f(x)$의 값을 구하시오.

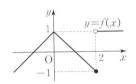

✔TIP
$\lim_{x \to a-} f(x)$는 $x=a$에서의
함수 $f(x)$의 극한값이고,
$\lim_{x \to a+} f(x)$는 $x=a$에서의
함수 $f(x)$의 우극한이다.

02-2 기초력 확인 함수 $y=f(x)$의 그래프가 오른쪽 그림과 같다.
$\lim_{x \to a-} f(x) \neq \lim_{x \to a+} f(x)$를 만족시키는 모든 상수
a의 값의 합을 구하시오.

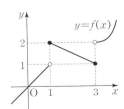

✔TIP
$x=a$에서의 함수 $f(x)$의
좌극한, 우극한이 다른 상수
a의 값을 구한다.

(1) 함수의 극한의 성질

$\lim\limits_{x \to a} f(x) = \alpha$, $\lim\limits_{x \to a} g(x) = \beta$ (α, β는 실수)일 때,

① $\lim\limits_{x \to a} \{cf(x)\} = c\lim\limits_{x \to a} f(x) = $ ❶ [　　　] (단, c는 상수)

② $\lim\limits_{x \to a} \{f(x) + g(x)\} = \lim\limits_{x \to a} f(x) + \lim\limits_{x \to a} g(x) = \alpha + \beta$

③ $\lim\limits_{x \to a} \{f(x) - g(x)\} = \lim\limits_{x \to a} f(x) - \lim\limits_{x \to a} g(x) = \alpha - \beta$

④ $\lim\limits_{x \to a} \{f(x)g(x)\} = \lim\limits_{x \to a} f(x)\lim\limits_{x \to a} g(x) = $ ❷ [　　　]

⑤ $\lim\limits_{x \to a} \dfrac{f(x)}{g(x)} = \dfrac{\lim\limits_{x \to a} f(x)}{\lim\limits_{x \to a} g(x)} = \dfrac{\alpha}{\beta}$ (단, $\beta \neq 0$)

(2) 함수의 극한의 대소 관계

두 함수 $f(x)$, $g(x)$에서 $\lim\limits_{x \to a} f(x) = \alpha$, $\lim\limits_{x \to a} g(x) = \beta$ (α, β는 실수)일 때, a에 가까운 모든 실수 x에 대하여 함수 $h(x)$가 $f(x) \leq h(x) \leq g(x)$이고 $\alpha = \beta$이면 $\lim\limits_{x \to a} h(x) = $ ❸ [　　　]

> **개념 플러스** 🔧
> 함수의 극한의 성질은
> $x \to a-$, $x \to a+$, $x \to \infty$,
> $x \to -\infty$일 때도 성립한다.

답| ❶ $c\alpha$　❷ $\alpha\beta$　❸ α

● **기출 유형**

$\lim\limits_{x \to 1} (2x+1)(x^2+2)$의 값을 구하시오.

풀이| $\lim\limits_{x \to 1} (2x+1)(x^2+2)$

$= \lim\limits_{x \to 1} (2x+1) \times \lim\limits_{x \to 1} (x^2+2)$

$= 3 \times 3 = 9$

답| 9

03-1 기출 유사 오른쪽 그림의 두 카드에 적힌 함수의 극한값의 합을 구하시오.

✅ **TIP**

$\lim\limits_{x \to a} f(x) + \lim\limits_{x \to a} g(x)$
$= \lim\limits_{x \to a} \{f(x) + g(x)\}$

03-2 기초력 확인 $\lim\limits_{x \to 2} (x^2 + 2)$의 값은?

① 2　　　　　② 4　　　　　③ 6

④ 8　　　　　⑤ 10

✅ **TIP**

$\lim\limits_{x \to a} \{f(x) + g(x)\}$
$= \lim\limits_{x \to a} f(x) + \lim\limits_{x \to a} g(x)$

04 핵심 체크 함수의 극한값의 계산

(1) $\lim\limits_{x \to a} f(x)=0$, $\lim\limits_{x \to a} g(x)=0$일 때, $\lim\limits_{x \to a} \dfrac{f(x)}{g(x)}$의 값은 분자 또는 분모를 $\boxed{\text{❶}}$ 하거나 근호가 있는 부

분을 $\boxed{\text{❷}}$ 하여 주어진 식을 변형하고, 공통인수 $x-a$를 약분하여 구한다.

예 $\lim\limits_{x \to 1} \dfrac{x^2-x}{x-1}=\lim\limits_{x \to 1} \dfrac{x(x-1)}{x-1}=\lim\limits_{x \to 1} x=1$

(2) $\lim\limits_{x \to \infty} f(x)=\infty$, $\lim\limits_{x \to \infty} g(x)=\infty$일 때

① $\lim\limits_{x \to \infty} \dfrac{f(x)}{g(x)}$의 값은 $\boxed{\text{❸}}$ 의 최고차항으로 분자, 분모를 나누어 구한다.

② $\lim\limits_{x \to \infty} \{\sqrt{f(x)}-\sqrt{g(x)}\}$의 값은 유리화하여 위의 ①과 같은 방법으로 구한다.

예 $\lim\limits_{x \to \infty} \dfrac{-x+1}{x+2}=\lim\limits_{x \to \infty} \dfrac{-1+\dfrac{1}{x}}{1+\dfrac{2}{x}}=\dfrac{-1+0}{1+0}=-1$

답| ❶ 인수분해 ❷ 유리화 ❸ 분모

● 기출 유형

$\lim\limits_{x \to 1} \dfrac{x^2-1}{x-1}$의 값은?

① 1　　　　② 2　　　　③ 3

④ 4　　　　⑤ 5

풀이 $\lim\limits_{x \to 1} \dfrac{x^2-1}{x-1}=\lim\limits_{x \to 1} \dfrac{(x-1)(x+1)}{x-1}$

$=\lim\limits_{x \to 1} (x+1)$

$=2$

답| ②

04-1 기출 유사 $\lim\limits_{x \to 0} \dfrac{x^2+7x}{x}$의 값은?

① 1　　　　② 3　　　　③ 5

④ 7　　　　⑤ 9

✔TiP

분자를 인수분해해 봐.

04-2 기초력 확인 $\lim\limits_{x \to \infty} \dfrac{2x^2+1}{x^2}$의 값은?

① 1　　　　② 2　　　　③ 3

④ 4　　　　⑤ 5

✔TiP
분모의 최고차항 x^2으로 분자, 분모를 나눈다.

기초력 집중드릴

해결 전략

극한의 성질
$$\lim_{x \to a} \{f(x) + g(x)\}$$
$$= \lim_{x \to a} f(x) + \boxed{\textbf{❶}}$$
를 이용한다.

답| ❶ $\lim_{x \to a} g(x)$

01 $\lim_{x \to 1}(x^2 + 5x + 3)$의 값은?

① 6   ② 7   ③ 8
④ 9   ⑤ 10

해결 전략

극한의 성질
$$\lim_{x \to a} \{cf(x) + g(x)\}$$
$$= \boxed{\textbf{❶}} + \lim_{x \to a} g(x)$$
(단, c는 상수)
를 이용한다.

답| ❶ $c \lim_{x \to a} f(x)$

02 $\lim_{x \to 2}(x^2 + ax + 5) = 3$일 때, 상수 a의 값은?

① -3 ② -2 ③ -1
④ 0   ⑤ 1

해결 전략

분모의 최고차항 $\boxed{\textbf{❶}}$ 로 분자, 분모를 나눈 후 얻어지는 식의 극한값을 구한다.

답| ❶ x

03 $\lim_{x \to \infty} \dfrac{3x+5}{x+3}$의 값을 구하시오.

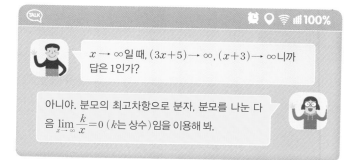

$x \to \infty$일 때, $(3x+5) \to \infty$, $(x+3) \to \infty$니까 답은 1인가?

아니야. 분모의 최고차항으로 분자, 분모를 나눈 다음 $\lim_{x \to \infty} \dfrac{k}{x} = 0$ (k는 상수)임을 이용해 봐.

분자, 분모를 공통인수 ❶□로 약
분한 후 극한값을 구한다.

답| ❶ $x-2$

04 $\lim\limits_{x \to 2} \dfrac{(x+3)(x-2)}{x-2}$ 의 값은?

① 1　　　　② 3　　　　③ 5

④ 7　　　　⑤ 9

$\lim\limits_{x \to a+} f(x)$ 는 $x=a$ 에서의 함수
$f(x)$ 의 ❶□이다.

답| ❶ 우극한

05 함수 $y=f(x)$ 의 그래프가 오른쪽 그림과 같다.
다음 중 옳지 <u>않은</u> 내용이 적힌 카드를 들고 있
는 학생을 모두 찾으시오.

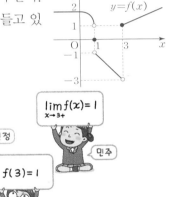

$x=a$ 에서의 함수 $f(x)$ 의 좌극한,
❶□이 다른 상수 a 의 값을 구한
다.

답| ❶ 우극한

06 함수 $y=f(x)$ 의 그래프가 오른쪽 그림과
같다. $\lim\limits_{x \to a-} f(x) \neq \lim\limits_{x \to a+} f(x)$ 를 만족시
키는 상수 a 의 개수는?

① 1　　② 2　　③ 3

④ 4　　⑤ 5

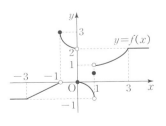

기초력 집중드릴

해결 전략

분자, 분모에 ❶ [　　] 을 곱하여 분모를 유리화한 후 극한값을 구한다.

답 | ❶ $\sqrt{x}+1$

07 다음은 카드를 한 장 뽑고 그 카드에 적힌 극한값과 같은 값이 적힌 풍선을 다트를 던져 터뜨리면 상품을 받을 수 있는 게임이다. 기훈이가 상품을 받으려면 무슨 색 풍선을 터뜨려야 하는지 구하시오.

카드

$$\lim_{x \to 1} \frac{x-1}{\sqrt{x}-1}$$

기훈

해결 전략

분모의 최고차항 ❶ [　　] 으로 분자, 분모를 나눈 후 얻어지는 식의 극한값을 구한다.

답 | ❶ x^2

08 $\lim\limits_{x \to \infty} \dfrac{ax^2+5}{x^2+2}=3$일 때, 상수 a의 값은?

① -3 ② -1 ③ 1

④ 2 ⑤ 3

해결 전략

극한의 성질

$\lim\limits_{x \to a} \{f(x)g(x)\}$

$=\lim\limits_{x \to a} f(x) \times$ ❶ [　　]

를 이용한다.

답 | ❶ $\lim\limits_{x \to a} g(x)$

09 함수 $f(x)$가 $\lim\limits_{x \to 2} f(x)=1$을 만족시킬 때, $\lim\limits_{x \to 2}(x^2-1)f(x)$의 값은?

① 1 ② 2 ③ 3

④ 4 ⑤ 5

해결 전략

극한의 성질

$\lim\limits_{x \to a}\{f(x) - g(x)\}$

$= \lim\limits_{x \to a}f(x) - ❶\boxed{}$

를 이용한다.

답| ❶ $\lim\limits_{x \to a}g(x)$

10 두 함수 $f(x)$, $g(x)$가

$$\lim_{x \to 2}f(x) = 1, \lim_{x \to 2}\{2f(x) + g(x)\} = 5$$

를 만족시킬 때, $\lim\limits_{x \to 2}g(x)$의 값은?

① 1   ② 2   ③ 3

④ 4   ⑤ 5

극한의 성질은 수렴하는 함수에 대해서만 성립해.

해결 전략

극한의 성질

$\lim\limits_{x \to a}\dfrac{f(x)}{g(x)} = \dfrac{\lim\limits_{x \to a}f(x)}{\lim\limits_{x \to a}g(x)}$

(단, ❶$\boxed{} \neq 0$)을 이용한다.

답| ❶ $\lim\limits_{x \to a}g(x)$

11 두 함수 $f(x)$, $g(x)$가

$$\lim_{x \to 2}f(x) = 3, \lim_{x \to 2}\{2f(x) + 5g(x)\} = 1$$

을 만족시킬 때, $\lim\limits_{x \to 2}\{f(x) - 2g(x)\}$의 값은?

① -3 ② -1 ③ 1

④ 3   ⑤ 5

해결 전략

$\lim\limits_{x \to a}f(x) = \alpha$, $\lim\limits_{x \to a}g(x) = \beta$

(α, β는 실수)일 때, 함수 $h(x)$가

$f(x) \leq h(x) \leq g(x)$이고

$\alpha = ❶\boxed{}$이면

$\lim\limits_{x \to a}h(x) = ❷\boxed{}$

답| ❶ β ❷ α

12 실수 전체의 집합에서 정의된 함수 $f(x)$가 모든 실수 x에 대하여 부등식

$$3x^2 - 1 < f(x) < 3x^2 + 2$$

를 만족시킬 때, $\lim\limits_{x \to \infty}\dfrac{f(x)}{x^2}$의 값을 구하시오.

이제 함수의 극한은 정확하게 알 것 같아!

이번에는 함수의 연속을 체험해 보자.

매일 매일 공부하는 **미리보기**

1일차 · **2일차** · 3일차 · 4일차

연속함수 체험관

창문을 열어 놓으면 실내 온도가 25℃로 변하는 이유가 무엇일까?

실내 온도는 외부 온도에 영향을 받으며 변하고, 시간의 함수로 보았을 때 연속함수이기 때문이야.

연속함수의 의미를 한눈에 볼 수 있게 정리할 수는 없을까?

너무 더워!! 밖의 기온이 20℃이니깐 실내 온도가 25℃가 될 때까지 창문을 열어 놓자.

흥! 연속함수라······. 이것만 알고 있으면 깔끔하게 정리할 수 있어요.

연속함수

함수 $f(x)$ 가 $x = a$ 에서 연속이면 다음을 만족한다.

① $f(a)$ 가 존재한다.

② 극한값 $\lim_{x \to a} f(x)$ 가 존재한다.

③ $f(a) = \lim_{x \to a} f(x)$

함수 $f(x)$ 가 어떤 구간에서 모든 x 에 대하여 연속일 때, 함수 $f(x)$ 는 그 구간에서의 연속함수라 한다.

체험 완료

함수 $f(x)$가 실수 a에 대하여 오른쪽 조건을 모두 만족시킬 때, 함수 $f(x)$는 $x=a$에서 ❶□□□□이라 한다.

한편 함수 $f(x)$가 오른쪽 세 조건 중에서 어느 하나라도 만족시키지 않으면 함수 $f(x)$는 $x=a$에서 ❸□□□□이라 한다.

① 함수 $f(x)$는 $x=a$에서 정의되어 있다.
② 극한값 $\lim\limits_{x \to a} f(x)$가 존재한다.
③ $\lim\limits_{x \to a} f(x) =$ ❷□□□

답 | ❶ 연속 ❷ $f(a)$ ❸ 불연속

● 기출 유형

함수 $f(x) = \begin{cases} 3x-1 & (x<1) \\ x+a & (x \geq 1) \end{cases}$ 이 $x=1$에서 연속일 때, 상수 a의 값은?

① -2 ② -1 ③ 0
④ 1 ⑤ 2

풀이 | 함수 $f(x)$가 $x=1$에서 연속이므로

$$\lim_{x \to 1-} f(x) = \lim_{x \to 1+} f(x) = f(1)$$

즉 $\lim\limits_{x \to 1-}(3x-1) = \lim\limits_{x \to 1+}(x+a) = f(1)$

이므로 $a+1 = 2$ $\therefore a=1$

답 | ④

01-1 기출 유사 함수 $f(x) = \begin{cases} 2x+3 & (x<2) \\ -2x+a & (x \geq 2) \end{cases}$ 가 $x=2$에서 연속일 때, 상수 a의 값은?

① 8 ② 9 ③ 10
④ 11 ⑤ 12

✔TiP
함수 $f(x)$가 $x=2$에서 연속이면 $\lim\limits_{x \to 2} f(x) = f(2)$

01-2 기초력 확인 함수 $f(x) = \begin{cases} 2x+1 & (x \neq 0) \\ a & (x=0) \end{cases}$ 이 $x=0$에서 연속일 때, 상수 a의 값은?

① 1 ② 2 ③ 3
④ 4 ⑤ 5

✔TiP

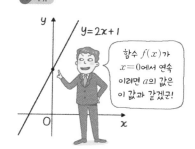

함수 $f(x)$가 $x=0$에서 연속이려면 a의 값은 이 값과 같겠군!

02 핵심 체크   연속함수

(1) 함수 $f(x)$가 어떤 구간에 속하는 모든 점에서 연속일 때, 함수 $f(x)$는 그 구간에서 연속 또는 그 구간에서
❶ [ ] 라 한다. 특히 함수 $f(x)$가 다음 조건을 모두 만족시킬 때, 함수 $f(x)$는 닫힌구간 $[a, b]$에서 연속이라 한다.

> ① 열린구간 (a, b)에서 연속이다.
> ② $\lim\limits_{x \to a+} f(x) = f(a)$, $\lim\limits_{x \to b-} f(x) = f(b)$

모든 실수에서 연속이라는 것은 열린구간 $(-\infty, \infty)$ 에서 연속이라는 뜻이야.

(2) 다항함수는 모든 실수에서 연속이고, 분수함수는 분모가 ❷ [ ] 이 되는 x
의 값을 제외한 모든 실수 x에서 연속이다.

답 | ❶ 연속함수   ❷ 0

기출 유형

함수 $f(x) = \begin{cases} -2x+1 & (x<1) \\ x^2-ax+4 & (x \geq 1) \end{cases}$ 이 실수 전체의
집합에서 연속일 때, 상수 a의 값은?

① -6 ② -3 ③ 0

④ 3 ⑤ 6

풀이| 함수 $f(x)$는 실수 전체의 집합에서 연속이므로 $x=1$에서 연속이다. 즉

$$\lim\limits_{x \to 1-} f(x) = \lim\limits_{x \to 1+} f(x) = f(1)$$이므로

$$\lim\limits_{x \to 1-} (-2x+1) = \lim\limits_{x \to 1+} (x^2-ax+4)$$
$$= f(1)$$

따라서 $-1 = 5-a$이므로 $a=6$

답 | ⑤

02-1 기출 유사

함수 $f(x) = \begin{cases} ax+1 & (x<1) \\ 2 & (x=1) \\ -3x+b & (x>1) \end{cases}$ 이 실수 전체의 집합에서 연속
일 때, $a+b$의 값을 구하시오. (단, a, b는 상수)

 TIP

 함수 $f(x)$가 실수 전체의 집합에서 연속일 조건이 뭘까?

 $x=1$에서 연속인지 아닌지 확인해 봐!

02-2 기초력 확인

함수 $f(x) = \begin{cases} ax+2 & (x \neq 2) \\ 6 & (x=2) \end{cases}$ 가 실수 전체의 집합에서 연속일 때, 상수
a의 값을 구하시오.

 TIP

함수 $f(x)$가 실수 전체의 집합에서 연속이면 $x=2$에서 연속이다.

두 함수 $f(x)$, $g(x)$가 $x=a$에서 연속이면 다음 함수도 $x=a$에서 **❶** [　　　]이다.

① $cf(x)$ (단, c는 상수)

② $f(x)+g(x)$, $f(x)-g(x)$

③ $f(x)g(x)$

④ $\dfrac{f(x)}{g(x)}$ (단, $g(a)\neq 0$)

답| ❶ 연속

● **기출 유형**

실수 전체의 집합에서 연속인 함수 $f(x)$가

$$(x^2+1)f(x)=x^3+x+2$$

를 만족시킬 때, $\lim\limits_{x \to 1}f(x)$의 값은?

① -2　　② -1　　③ 0

④ 1　　⑤ 2

풀이| 함수 $f(x)$가 실수 전체의 집합에서 연속이므로 $x=1$에서 연속이다.

$\therefore \lim\limits_{x \to 1}f(x)=f(1)$

$(x^2+1)f(x)=x^3+x+2$의 양변에 $x=1$을 대입하면 $2f(1)=4$　　$\therefore f(1)=2$

$\therefore \lim\limits_{x \to 1}f(x)=f(1)=2$

답| ⑤

03-1 기출 유사 실수 전체의 집합에서 연속인 함수 $f(x)$가 $(x-1)f(x)=x^2-1$을 만족시킬 때, $f(1)$의 값은?

① -2　　　　② -1　　　　③ 0

④ 1　　　　⑤ 2

TIP

함수 $f(x)$가 $x=1$에서 연속이면 $\lim\limits_{x \to 1}f(x)=f(1)$

03-2 기초력 확인 다항함수 $f(x)$에 대하여 $\lim\limits_{x \to 1-}f(x)=2$, $\lim\limits_{x \to 3+}f(x)=3$일 때, $f(1)+f(3)$의 값을 구하시오.

TIP

다항함수는 모든 실수에서 연속이지?

맞아! 그래서 함수 $f(x)$는 $x=1$, $x=3$에서도 연속이야.

다항함수

04 핵심 체크 | 연속함수에 대한 정리

(1) **최대·최소 정리**: 함수 $f(x)$가 닫힌구간 $[a, b]$에서 ❶ ☐ 이면 $f(x)$는 이 닫힌구간에서 반드시 최댓값과 최솟값을 갖는다.

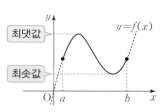

(2) **사잇값의 정리**: 함수 $f(x)$가

(ⅰ) 닫힌구간 $[a, b]$에서 연속이고

(ⅱ) $f(a) \neq$ ❷ ☐

이면 $f(a)$와 $f(b)$ 사이의 임의의 실수 k에 대하여 $f(c) =$ ❸ ☐ 인 c가 열린 구간 (a, b)에 적어도 하나 존재한다.

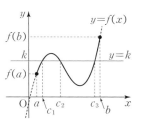

답| ❶ 연속 ❷ $f(b)$ ❸ k

● 기출 유형

함수 $f(x) = x^3 + x + 3$에 대하여 방정식 $f(x) = 0$이 오직 하나의 실근을 가질 때, 다음 중 실근이 존재하는 구간은?

① $(-3, -2)$　　② $(-2, -1)$
③ $(-1, 0)$　　④ $(0, 1)$
⑤ $(1, 2)$

풀이 함수 $f(x)$는 모든 실수 x에서 연속이다. 이때
$f(-3) = -27 < 0, f(-2) = -7 < 0,$
$f(-1) = 1 > 0, f(0) = 3 > 0,$
$f(1) = 5 > 0, f(2) = 13 > 0$
이므로 $f(-2)f(-1) < 0$
따라서 방정식 $f(x) = 0$은 사잇값의 정리에 의하여 열린구간 $(-2, -1)$에서 적어도 하나의 실근을 갖는다.

답| ②

04-1 기출 유사 방정식 $x^3 + x^2 + 2x - 7 = 0$이 열린구간 $(-2, 3)$에서 오직 하나의 실근을 가질 때, 다음 중 실근이 존재하는 구간은?

✔TIP
함수 $f(x)$가 구간 $[a, b]$에서 연속이고 $f(a)f(b) < 0$이면 방정식 $f(x) = 0$은 열린구간 (a, b)에서 적어도 하나의 실근을 갖는다.

04-2 기초력 확인 연속함수 $f(x)$에 대하여 $f(-2) = 2, f(-1) = -3, f(0) = \sqrt{2}$, $f(1) = -1, f(2) = 3$일 때, 방정식 $f(x) = 0$은 열린구간 $(-2, 2)$에서 적어도 k개의 실근을 갖는다. 상수 k의 값을 구하시오.

✔TIP
함수 $f(x)$가 구간 $[a, b]$에서 연속이고 $f(a)f(b) < 0$이면 방정식 $f(x) = 0$은 열린구간 (a, b)에서 적어도 하나의 실근을 갖는다.

기초력 집중드릴

해결 전략

함수 $f(x)$가 $x=1$에서 연속이면
$\lim\limits_{x \to 1} f(x) = \boxed{❶}$ 이다.

답| ❶ $f(1)$

01 함수 $f(x) = \begin{cases} 2x-3 & (x \neq 1) \\ a & (x=1) \end{cases}$ 이 $x=1$에서 연속일 때, 상수 a의 값은?

① -2　　　　　　② -1　　　　　　③ 0
④ 1　　　　　　　⑤ 2

해결 전략

함수 $f(x)$가 $x=\boxed{❶}$ 에서 연속
이면 $\lim\limits_{x \to 2-} f(x) = \lim\limits_{x \to 2+} f(x) = f(2)$
이다.

답| ❶ 2

02 함수 $f(x) = \begin{cases} 2x-3 & (x<2) \\ x^2+a & (x \geq 2) \end{cases}$ 가 $x=2$에서 연속일 때, 상수 a의 값은?

① -3　　　　　　② -1　　　　　　③ 0
④ 1　　　　　　　⑤ 3

해결 전략

함수 $f(x)$가 실수 전체의 집합에서
연속이면 $x=\boxed{❶}$ 에서도 연속
이다.

답| ❶ 1

03 함수 $f(x) = \begin{cases} -3x+1 & (x<1) \\ x^2-ax+2 & (x \geq 1) \end{cases}$ 이 실수 전
체의 집합에서 연속일 때, 상수 a의 값은?

함수 $f(x)$가
$x=1$에서
연속이야.

① 1　　　　　　　② 3
③ 5　　　　　　　④ 7
⑤ 9

04 함수 $f(x)=\begin{cases} \dfrac{x^2+x-2}{x+2} & (x\neq -2) \\ a & (x=-2) \end{cases}$ 가 실수 전체의 집합에서 연속일

때, 상수 a의 값은?

① -6　　　　　② -3　　　　　③ 0

④ 3　　　　　⑤ 6

05 함수 $f(x)=\begin{cases} x^2+ax+1 & (x<1) \\ 3 & (x=1) \\ -x+b & (x>1) \end{cases}$ 이 실수 전체의 집합에서 연속일

때, $a+b$의 값은? (단, a, b는 상수)

① 1　　　　　② 2　　　　　③ 3

④ 4　　　　　⑤ 5

06 다음을 읽고, 두 함수 $f(x)=\begin{cases} x+1 & (x<1) \\ 1 & (x\geq 1) \end{cases}$, $g(x)=x+a$에 대하

여 함수 $f(x)g(x)$가 실수 전체의 집합에서 연속이 되도록 하는 상수 a의 값을 구하시오.

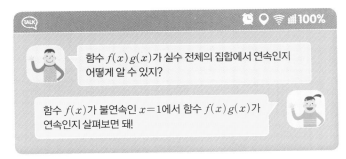

해결 전략

함수 $f(x)$가 $x=a$에서 연속이면
$\lim\limits_{x \to a} f(x) = \boxed{❶}$ 이다.

답| ❶ $f(a)$

07 실수 전체의 집합에서 연속인 함수 $f(x)$가 $(x-1)f(x)=x^2-x$를 만족시킬 때, $f(1)$의 값은?

① -2　　　　　　② -1　　　　　　③ 0

④ 1　　　　　　⑤ 2

해결 전략

실수 a에 대하여

(i) 함수 $f(x)$는 $x=\boxed{❶}$ 에서 정의되어 있다.

(ii) 극한값 $\lim\limits_{x \to a} f(x)$가 존재한다.

(iii) $\lim\limits_{x \to a} f(x) = f(a)$

일 때, 함수 $f(x)$는 $x=a$에서 $\boxed{❷}$ 이다.

답| ❶ a　❷ 연속

08 두 함수 $y=f(x)$, $y=g(x)$의 그래프가 다음 그림과 같다.

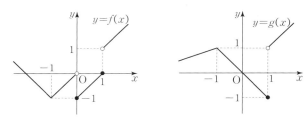

다음 중 옳은 내용을 말하고 있는 학생을 모두 찾으시오.

해결 전략

함수 $f(x)$가 $x=\boxed{❶}$ 에서 연속이면 $\lim\limits_{x \to a} f(x) = f(a)$이다.

답| ❶ a

09 연속함수 $f(x)$가 $f(2)=3$을 만족시킬 때, $\lim\limits_{x \to 2}(x^2-x+1)f(x)$의 값을 구하시오.

10 연속함수 $f(x)$가 $\lim\limits_{x \to 1-} f(x)=a+2$, $\lim\limits_{x \to 1+} f(x)=4-a$를 만족시킬

때, $a+f(1)$의 값을 구하시오. (단, a는 상수)

11 연속함수 $f(x)$에 대하여 $f(0)=k+2$, $f(1)=k-4$이다. 방정식
$f(x)=0$이 열린구간 $(0, 1)$에서 적어도 하나의 실근을 갖도록 하는
정수 k의 개수는?

① 1　　　　　　② 2　　　　　　③ 3

④ 4　　　　　　⑤ 5

12 연속함수 $f(x)$에 대하여 $f(2)=a-3$,
$f(5)=a+1$이다. 방정식 $f(x)=2x$가 열
린구간 $(2, 5)$에서 적어도 하나의 실근을
갖도록 하는 정수 a의 값을 구하시오.

방정식 $f(x)=2x$
에서 $2x$를
이항해볼까?

03 일차

1일차   2일차   3일차   4일차

이번엔 함수의 미분을 체험할 수 있어!

함수의 극한과 연속이랑도 당연히 관계가 있겠지?

매일 매일 공부하는 **미리보기**

미분계수 체험관

특정 구간에서 속도의 평균변화율을 측정하는 시스템이기 때문에 카메라 앞에서만 속도를 줄이는 것은 소용없어.

아빠! 규정 속도가 80 km/h예요. 빨리 속도 줄여요!!

80   **과속 단속장비**

평균변화율이 뭐에요?

이것만 알면 평균평화율을 알 수 있어. 이참에 순간변화율까지 알아보자.

평균변화율과 순간변화율

함수 $y=f(x)$에서 x의 값이 a에서 b까지 변할 때의 평균변화율은

$$\frac{\triangle y}{\triangle x} = \frac{f(b)-f(a)}{b-a} = \frac{f(a+\triangle x)-f(a)}{\triangle x} \quad (\text{단, } \triangle x = b-a)$$

함수 $y=f(x)$의 $x=a$ 에서의 미분계수 또는 순간변화율은

$$f'(a) = \lim_{\triangle x \to 0} \frac{\triangle y}{\triangle x} = \lim_{\triangle x \to 0} \frac{f(a+\triangle x)-f(a)}{\triangle x}$$

체험 완료

5일차   **6일차**   **7일차**

(1) 함수 $y=f(x)$에서 x의 값이 a에서 $a+\Delta x$까지 변할 때의 평균변화율의 극한값

$$\lim_{\Delta x \to 0} \frac{\Delta y}{\Delta x} = \lim_{\Delta x \to 0} \frac{f(a+\Delta x)-f(a)}{\Delta x}$$

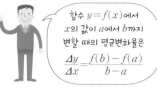

함수 $y=f(x)$에서 x의 값이 a에서 b까지 변할 때의 평균변화율은 $\dfrac{\Delta y}{\Delta x} = \dfrac{f(b)-f(a)}{b-a}$

가 존재하면 이 극한값을 함수 $y=f(x)$의 $x=a$에서의 순간변화율 또는 ❶ [　　　]라 하고, 기호로 $f'(a)$ 와 같이 나타낸다.

이때 함수 $y=f(x)$의 $x=a$에서의 미분계수 $f'(a)$가 존재하면 함수 $f(x)$는 $x=a$에서 ❷ [　　　]하다고 한다.

(2) **미분계수와 접선의 기울기**

함수 $y=f(x)$의 $x=a$에서의 미분계수 $f'(a)$는 곡선 $y=f(x)$ 위의 점 $(a, f(a))$에서의 접선의 ❸ [　　　]와 같다.

답| ❶ 미분계수　❷ 미분가능　❸ 기울기

● 기출 유형

다항함수 $f(x)$가 $\displaystyle\lim_{h \to 0} \frac{f(1+h)-f(1)}{2h}=4$를 만족 시킬 때, $f'(1)$의 값은?

① 4　　　　② 5　　　　③ 6
④ 7　　　　⑤ 8

풀이 $\displaystyle\lim_{h \to 0} \frac{f(1+h)-f(1)}{2h}$

$\displaystyle = \frac{1}{2}\lim_{h \to 0} \frac{f(1+h)-f(1)}{h}$

$\displaystyle = \frac{1}{2}f'(1)=4$

$\therefore f'(1)=8$

답| ⑤

01-1 기출 유사 다항함수 $f(x)$에 대하여 $f'(3)=20$일 때,

$\displaystyle\lim_{h \to 0} \frac{f(3+h)-f(3)}{5h}$의 값은?

① 4　　　　　② 8　　　　　③ 12
④ 16　　　　⑤ 20

 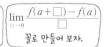

분모를 적당히 바꾸면 식의 값을 구할 수 있겠네.

$\displaystyle\lim_{\square \to 0} \frac{f(a+\square)-f(a)}{\square}$ 꼴로 만들어 보자.

01-2 기초력 확인 다항함수 $f(x)$에 대하여 $\displaystyle\lim_{h \to 0} \frac{f(2+h)-f(2)}{h}=3$일 때, $f'(2)$의 값을 구하시오.

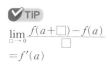

$\displaystyle\lim_{\square \to 0} \frac{f(a+\square)-f(a)}{\square}$ $=f'(a)$

02 핵심 체크 | 미분가능성과 연속성

함수 $y=f(x)$가 $x=a$에서 ❶ [　　] 하면 $f(x)$는 $x=a$에서 ❷ [　　] 이다. 일반적으로 그 역은 성립하지 않는다.

예 오른쪽 그림과 같이 함수 $y=f(x)$가 $x=0$에서 연속이지만 미분가능하지 않은 경우도 있다.

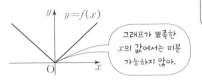

그래프가 뾰족한 x의 값에서는 미분가능하지 않아.

함수 — 연속인 함수 — 미분가능한 함수

답 | ❶ 미분가능 ❷ 연속

기출 유형

함수 $f(x)=\begin{cases} x^2+a & (x<1) \\ bx-2 & (x\geq1) \end{cases}$ 이 실수 전체의 집합에서 미분가능할 때, $a+b$의 값은?

(단, a, b는 상수)

① 1　　　② 3　　　③ 5
④ 7　　　⑤ 9

풀이 | 함수 $f(x)$가 $x=1$에서 연속이므로

$$\lim_{x\to1-}f(x)=\lim_{x\to1+}f(x)=f(1)$$

$$1+a=b-2 \qquad \therefore b=a+3$$

함수 $f(x)$가 $x=1$에서 미분가능하므로

$$\lim_{x\to1-}\frac{f(x)-f(1)}{x-1}=\lim_{x\to1-}\frac{x^2+a-(b-2)}{x-1}$$

$$=\lim_{x\to1-}\frac{x^2+a-(1+a)}{x-1}$$

$$=2$$

$$\lim_{x\to1+}\frac{f(x)-f(1)}{x-1}=\lim_{x\to1+}\frac{bx-2-(b-2)}{x-1}$$

$$=b$$

즉 $b=2$이므로 $a=-1$ $\qquad \therefore a+b=1$

답 | ①

02-1 기출 유사　함수 $f(x)=\begin{cases} x^2+ax & (x<2) \\ 2x+b & (x\geq2) \end{cases}$ 가 실수 전체의 집합에서 미분가능할 때, ab의 값을 구하시오. (단, a, b는 상수)

✔TiP
함수 $f(x)$가 실수 전체의 집합에서 미분가능하므로 $x=2$에서 미분가능하다.

02-2 기초력 확인　함수 $f(x)=\begin{cases} x^2+ax+b & (x<2) \\ 0 & (x\geq2) \end{cases}$ 가 실수 전체의 집합에서 미분가능할 때, $f(1)$의 값을 구하시오. (단, a, b는 상수)

✔TiP
함수 $f(x)$가 $x=2$에서 미분가능하므로 미분계수 $f'(2)$가 존재한다.

함수 $y=f(x)$가 정의역 X에서 미분가능할 때,

$$f'(x)=\lim_{\Delta x \to 0}\frac{f(x+\Delta x)-f(x)}{\Delta x}$$

를 함수 $y=f(x)$의 **❶**〔　　〕라 하고, 기호로

$$f'(x),\ y',\ \frac{dy}{dx},\ \frac{d}{dx}\,\text{❷}〔　　〕$$

와 같이 나타낸다. 또 함수 $y=f(x)$의 도함수 $f'(x)$를 구하는 것을 함수 $f(x)$를 x에 대하여 **❸**〔　　〕고 하며, 그 계산법을 미분법이라 한다.

도함수를 이용해서 미분계수를 쉽게 구할 수 있어.

도함수 　　　　미분계수
$$f'(x)\xrightarrow[\text{대입}]{x=a를}f'(a)$$

답| ❶ 도함수 ❷ $f(x)$ ❸ 미분한다

● **기출 유형**

함수 $f(x)$가 $f'(x)=x^2-2x+3$, $f(1)=3$을 만족시킬 때, $\lim_{x \to 1}\dfrac{f(x)-3}{x-1}$의 값은?

① 1　　　　　② 2　　　　　③ 3

④ 4　　　　　⑤ 5

풀이
$$\lim_{x \to 1}\frac{f(x)-3}{x-1}=\lim_{x \to 1}\frac{f(x)-f(1)}{x-1}$$
$$=f'(1)$$
$$=1-2+3$$
$$=2$$

답| ②

03-1 기출 유사　함수 $f(x)$가 $f'(x)=x^3-2x+a$, $\lim_{x \to 2}\dfrac{f(x)-f(2)}{x-2}=1$을 만족시킬 때, 상수 a의 값은?

① -5　　　　　② -4　　　　　③ -3

④ -2　　　　　⑤ -1

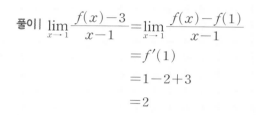

✔TIP

함수 $f(x)$의 $x=a$에서의 미분계수는

$$f'(a)=\lim_{x \to a}\frac{f(x)-f(a)}{x-a}$$

03-2 기초력 확인　함수 $f(x)$가 $f'(x)=x^3-ax+1$, $f'(2)=3$을 만족시킬 때, 상수 a의 값은?

① 1　　　　　② 2　　　　　③ 3

④ 4　　　　　⑤ 5

✔TIP

함수 $f(x)$의 $x=a$에서의 미분계수 $f'(a)$는 도함수 $f'(x)$에 $x=a$를 대입하여 구할 수 있다.

04 핵심 체크 **함수의 미분법**

(1) 함수 $f(x)=x^n$과 상수함수의 도함수

① $f(x)=x^n$ (n은 2 이상의 양의 정수)의 도함수는 $f'(x)=nx^{n-1}$

② $f(x)=x$의 도함수는 $f'(x)=$ ❶ ☐

③ $f(x)=c$ (c는 상수)의 도함수는 $f'(x)=0$

(2) 함수의 실수배, 합, 차, 곱의 미분법

두 함수 $f(x)$, $g(x)$가 미분가능할 때,

① $\{cf(x)\}'=cf'(x)$ (단, c는 상수)

② $\{f(x)+g(x)\}'=f'(x)+$ ❷ ☐

③ $\{f(x)-g(x)\}'=f'(x)-g'(x)$

④ $\{f(x)g(x)\}'=$ ❸ ☐ $+f(x)g'(x)$

개념 플러스 🖋
$\{f(x)g(x)h(x)\}'$
$=f'(x)g(x)h(x)+f(x)g'(x)h(x)+f(x)g(x)h'(x)$

답| ❶ 1 ❷ $g'(x)$ ❸ $f'(x)g(x)$

● **기출 유형**

함수 $f(x)=x^3+3x^2-5x+2$에 대하여 $f'(1)$의 값은?

① 1   ② 2   ③ 3

④ 4   ⑤ 5

풀이 $f(x)=x^3+3x^2-5x+2$에서

$f'(x)=3x^2+6x-5$

∴ $f'(1)=3+6-5=4$

답| ④

04-1 기출 유사 함수 $f(x)=(2x-1)(x^2+3)$에 대하여 $f'(1)$의 값을 구하시오.

✔TIP

$(fg)' = f'g + fg'$

04-2 기초력 확인 함수 $f(x)=x^3-7x+6$에 대하여 $f'(2)$의 값은?

① -3 ② 0   ③ 1

④ 3   ⑤ 5

✔TIP

n이 2 이상의 양의 정수일 때, $f(x)=x^n$의 도함수는 $f'(x)=nx^{n-1}$이다.

기초력 집중드릴

01 다음 두 학생의 대화를 읽고, $f'(0)+f'(1)+f'(2)$의 값을 구하시오.

02 함수 $f(x)=(2x+3)(x^2-1)$에 대하여 $f'(1)$의 값은?

① 2   ② 4   ③ 6

④ 8   ⑤ 10

03 함수 $f(x)=x^5+ax-7$에 대하여 $f'(1)=3$일 때, 상수 a의 값은?

① -5 ② -4 ③ -3

④ -2 ⑤ -1

04 함수를 입력하면 $x=1$에서의 미분계수를
구해 주는 프로그램이 있다. 이 프로그램에
함수 $f(x)=(x-2)(x^2-4x+a)$를 입력
했더니 오른쪽 그림과 같은 결과를 얻었을
때, 상수 a의 값은?

계산 결과

6

① 4　　　　　　② 5　　　　　　③ 6

④ 7　　　　　　⑤ 8

05 다항함수 $f(x)$에 대하여 $f'(2)=6$일 때, $\lim\limits_{x \to 2} \dfrac{f(x)-f(2)}{2x-4}$의 값은?

① 1　　　　　　② 3　　　　　　③ 5

④ 7　　　　　　⑤ 9

06 다항함수 $f(x)$에 대하여 $\lim\limits_{x \to 2} \dfrac{f(x)+5}{x-2}=3$일 때, $f(2)+f'(2)$의 값
은?

① -5　　　　　② -4　　　　　③ -3

④ -2　　　　　⑤ -1

07 다항함수 $f(x)$에 대하여 $\lim\limits_{h \to 0} \dfrac{f(1+h)-4}{2h} = 1$일 때, $f(1)+f'(1)$

의 값은?

① 6　　　　　② 7　　　　　③ 8

④ 9　　　　　⑤ 10

08 함수 $f(x)=x^3-2x^2+5$에 대하여 $\lim\limits_{h \to 0} \dfrac{f(2+2h)-f(2)}{h}$의 값은?

① 6　　　　　② 7　　　　　③ 8

④ 9　　　　　⑤ 10

09 함수 $f(x)=x^2+4x-2$에 대하여

$$\lim_{h \to 0} \frac{f(1+2h)-3}{h}$$의 값은?

① 12　　　　　② 14

③ 16　　　　　④ 18

⑤ 20

$f(1)=3$임을
이용해서 식을
고쳐봐!

상수 k에 대하여

$\lim\limits_{x \to a} \dfrac{g(x)}{f(x)} = k$, $\lim\limits_{x \to a} f(x) = 0$이면

$\lim\limits_{x \to a} g(x) = \boxed{❶}$ 이다.

답| ❶ 0

10 함수 $f(x) = 2x^2 + ax + b$에 대하여 $\lim\limits_{x \to 1} \dfrac{f(x)}{x-1} = 5$일 때, $f(2)$의 값은? (단, a, b는 상수)

① 7   ② 8   ③ 9

④ 10   ⑤ 11

$\{f(x)g(x)\}'$

$= \boxed{❶} + f(x)g'(x)$

답| ❶ $f'(x)g(x)$

11 다항함수 $f(x)$가 $\lim\limits_{x \to 1} \dfrac{f(x)-2}{x-1} = 12$를 만족시키고, $g(x) = (x^2+1)f(x)$라 할 때, 다음 중 계산 결과가 옳지 <u>않은</u> 학생을 모두 찾으시오.

함수 $f(x)$가 $x=a$에서 미분가능하면 $f(x)$는 $x=a$에서 $\boxed{❶}$ 이고, $f'(a)$가 존재한다.

답| ❶ 연속

12 함수 $f(x) = \begin{cases} 2x^2 + ax & (x < 2) \\ 4x + b & (x \geq 2) \end{cases}$ 가 실수 전체의 집합에서 미분가능할 때, ab의 값을 구하시오. (단, a, b는 상수)

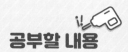

(1) 곡선 $y=f(x)$ 위의 점 $(a, f(a))$에서의 접선의 방정식은

$y-f(a)=$ ❶〔　　　〕$(x-a)$

점 (a, b)를 지나고 기울기가 m인 직선의 방정식은 $y=m(x-a)+b$야.

(2) 곡선 $y=f(x)$에 접하고 기울기가 m인 접선의 방정식 구하기

(ⅰ) ❷〔　　　〕$=f'(a)$를 만족시키는 접점의 좌표 $(a, f(a))$를 구한다.

(ⅱ) 접선의 방정식 $y=m(x-a)+f(a)$를 구한다.

(3) 곡선 밖의 점 (a, b)에서 곡선 $y=f(x)$에 그은 접선의 방정식 구하기

(ⅰ) 접선의 방정식을 $y-$❸〔　　　〕$=f'(t)(x-t)$로 놓고, 점 (a, b)를 지날 때의 t의 값을 구한다.

(ⅱ) (ⅰ)에서 구한 t의 값을 $y-f(t)=f'(t)(x-t)$에 대입하여 접선의 방정식을 구한다.

답 | ❶ $f'(a)$　❷ m　❸ $f(t)$

● **기출 유형**

곡선 $y=x^3-x^2-2$ 위의 점 $(2, 2)$에서의 접선의 방정식이 $y=ax+b$일 때, 상수 a, b에 대하여 $a-b$의 값은?

① 21　　② 22　　③ 23

④ 24　　⑤ 25

풀이 | $f(x)=x^3-x^2-2$로 놓으면

$f'(x)=3x^2-2x$

$f'(2)=12-4=8$이므로 점 $(2, 2)$에서의 접선의 방정식은

$y=8(x-2)+2$　∴ $y=8x-14$

따라서 $a=8, b=-14$이므로

$a-b=8-(-14)=22$

답 | ②

01-1 기출 유사　곡선 $y=x^3+2x-2$ 위의 점 $(1, 1)$에서의 접선이 y축과 점 $(0, a)$에서 만날 때, 상수 a의 값은?

① -6　　② -4　　③ -2

④ 2　　⑤ 4

✔TIP

곡선 $y=f(x)$ 위의 점 $(a, f(a))$에서의 접선의 방정식은

$y-f(a)=f'(a)(x-a)$

01-2 기초력 확인　곡선 $y=2x^3-5x+1$ 위의 점 $(-1, 4)$에서의 접선의 기울기는?

① -2　　② -1　　③ 0

④ 1　　⑤ 2

✔TIP

함수 $y=f(x)$의 $x=a$에서의 미분계수 $f'(a)$는 곡선 $y=f(x)$ 위의 점 $(a, f(a))$에서의 접선의 기울기와 같아.

02 핵심 체크 **롤의 정리와 평균값 정리**

(1) 롤의 정리

함수 $f(x)$가 닫힌구간 $[a, b]$에서 연속이고 열린구간 (a, b)에서 미분가능할 때, $f(a)=f(b)$이면 $f'(c)=$ ❶〔   〕인 c가 열린구간 (a, b)에 적어도 하나 존재한다.

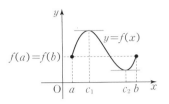

(2) 평균값 정리

함수 $f(x)$가 닫힌구간 $[a, b]$에서 연속이고 열린구간 (a, b)에서 ❷〔   〕하면

$$\frac{f(b)-f(a)}{\text{❸}}=f'(c)$$ 인 c가 열린구간 (a, b)에 적어도 하나 존재한다.

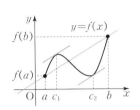

답 | ❶ 0 ❷ 미분가능 ❸ $b-a$

기출 유형

함수 $f(x)=x^2+2x-1$에 대하여 닫힌구간 $[0, 2]$에서 평균값 정리를 만족시키는 c의 값은?

① 0   ② $\dfrac{1}{2}$ ③ 1

④ $\dfrac{3}{2}$ ⑤ 2

풀이 | 함수 $f(x)=x^2+2x-1$은 닫힌구간 $[0, 2]$에서 연속이고 열린구간 $(0, 2)$에서 미분가능하므로 평균값 정리에 의하여

$$\frac{f(2)-f(0)}{2-0}=\frac{7-(-1)}{2-0}=4=f'(c)$$

인 c가 열린구간 $(0, 2)$에 적어도 하나 존재한다. 이때 $f'(x)=2x+2$이므로

$$f'(c)=2c+2=4 \qquad \therefore c=1$$

답 | ③

02-1 기출 유사 함수 $f(x)=x^2+x$에 대하여 닫힌구간 $[-1, 3]$에서 평균값 정리를 만족시키는 c의 값은?

① -1 ② 0   ③ 1

④ 2   ⑤ 3

✔TIP

다항함수는 실수 전체에서 연속이고 미분가능해.

02-2 기초력 확인 함수 $f(x)=3x^2$에 대하여 닫힌구간 $[-2, 0]$에서 평균값 정리를 만족시키는 c의 값을 구하시오.

✔TIP

$f'(c)=\dfrac{f(0)-f(-2)}{0-(-2)}$ 를 만족시키는 c의 값을 구한다.

(1) 함수 $f(x)$가 어떤 구간에서 미분가능하고 이 구간의 모든 x에서

　① $f'(x) > 0$이면 $f(x)$는 이 구간에서 [❶　　　]한다.

　② $f'(x)$ [❷　] 0이면 $f(x)$는 이 구간에서 감소한다.

(2) 함수 $f(x)$가 실수 a를 포함하는 어떤 열린구간에 속하는 모든 x에 대하여

　① $f(x) \le f(a)$이면 함수 $f(x)$는 $x=a$에서 [❸　　　]이고, 극댓값 $f(a)$
　를 갖는다.

　② $f(x) \ge f(a)$이면 함수 $f(x)$는 $x=a$에서 극소이고, 극솟값 $f(a)$를 갖는다.

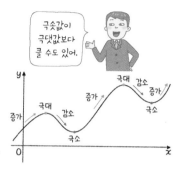

답 | ❶ 증가　❷ <　❸ 극대

● 기출 유형

함수 $f(x) = |x-1| + 3$이 $x=a$에서 극솟값 b를 가질 때, $a+b$의 값은?

① 1　　　② 2　　　③ 3

④ 4　　　⑤ 5

풀이 | 함수 $y=f(x)$의 그래프는 오른쪽 그림과 같다.

즉 함수 $f(x)$는 $x=1$에서 극솟값 3을 가지므로

$a=1$, $b=3$

∴ $a+b=1+3=4$

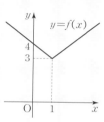

답 | ④

03-1 기출 유사　함수 $f(x) = |x^2 - 1|$이 $x=a$에서 극댓값을 가질 때, a의 값은?

① 0　　　② 2　　　③ 4

④ 6　　　⑤ 8

✔TIP

함수 $f(x) = |x^2 - 1|$의 그래프는 어떻게 그리지?

먼저 $y = x^2 - 1$의 그래프를 그린 후에 $y < 0$인 부분을 x축에 대하여 대칭시켜 봐.

03-2 기초력 확인　함수 $f(x) = |x^2 - 2x|$가 $x=a$ 또는 $x=b$에서 극솟값을 가질 때, $a+b$의 값은?

① -2　　　② -1　　　③ 0

④ 1　　　⑤ 2

✔TIP

함수 $f(x)$가 실수 k를 포함하는 어떤 열린구간에 속하는 모든 x에 대하여 $f(x) \ge f(k)$이면 함수 $f(x)$는 극솟값 $f(k)$를 갖는다.

04 핵심 체크 함수의 극대, 극소와 미분계수

(1) 함수 $f(x)$가 미분가능하고 $f'(a)=0$일 때

① $x=a$의 좌우에서 $f'(x)$의 부호가 양($+$)에서 음($-$)으로 바뀌면 $f(x)$는

$x=a$에서 **❶** [ ]이고 극댓값 $f(a)$를 갖는다.

② $x=a$의 좌우에서 $f'(x)$의 부호가 **❷** [ ] ($-$)에서 양($+$)으로 바뀌면 $f(x)$는 $x=a$에서 극소이고 극솟값 $f(a)$를 갖는다.

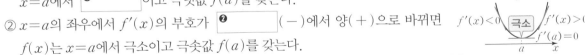

$f'(a)=0$
극대 $f'(x)>0$ $f'(x)<0$
a x

$f'(x)<0$ 극소 $f'(x)>0$
$f'(a)=0$
a x

(2) 함수 $f(x)$가 $x=a$에서 미분가능하고 $x=a$에서 극값을 가지면 $f'(a)=$ **❸** [ ]이다.

답 | **❶** 극대 **❷** 음 **❸** 0

● 기출 유형

함수 $f(x)=-\dfrac{1}{3}x^3+x^2+ax+1$이 $x=3$에서 극대일 때, 상수 a의 값은?

① -3 ② -1 ③ 1

④ 3 ⑤ 5

풀이 $f'(3)=0$이므로

$f'(x)=-x^2+2x+a$에서

$-9+6+a=0$ $\therefore a=3$

답 | ④

04-1 기출 유사   함수 $f(x)=x^3+6x^2+9x+a$의 극솟값이 -6일 때, 다음 중 상수 a의 값을 들고 있는 학생을 고르시오.

-2 성주   -1 선영   0 현지   1 정환   2 소희

✔TiP

$f'(k)=0$인 $x=k$의 좌우에서 $f'(x)$의 부호가 음에서 양으로 바뀌면 $f(x)$는 $x=k$에서 극소이다.

04-2 기초력 확인   함수 $f(x)=x^3-3x^2+5$가 $x=a$에서 극댓값 b를 가질 때, $a+b$의 값은?

① 1 ② 2 ③ 3

④ 4 ⑤ 5

✔TiP

$f'(k)=0$인 $x=k$의 좌우에서 $f'(x)$의 부호가 양에서 음으로 바뀌면 $f(x)$는 $x=k$에서 극대이다.

기초력 집중드릴

해결 전략

곡선 $y=f(x)$ 위의 점 $(a, f(a))$ 에서의 접선의 기울기는 **❶**󠀠 이 다.

답| ❶ $f'(a)$

01 곡선 $y=2x^2$ 위의 점 (a, b)에서의 접선의 기울기가 4일 때, $a+b$의 값은?

① 1 ② 2 ③ 3

④ 4 ⑤ 5

해결 전략

곡선 $y=f(x)$ 위의 점 $(a, f(a))$ 에서의 접선의 **❶**󠀠 는 $f'(a)$이 다.

답| ❶ 기울기

02 곡선 $y=x^3+ax^2+b$ 위의 점 $(2, 4)$에서의 접선의 기울기가 16일 때, 상수 a, b에 대하여 $a-b$의 값을 구하시오.

해결 전략

곡선 $y=f(x)$ 위의 점 $(a, f(a))$ 에서의 접선의 방정식은

$y=f'(a)(x-a)+$ **❶**󠀠

답| ❶ $f(a)$

03 다음 그림과 같이 좌표평면 위에 사탕 10개가 놓여 있다. 이때 곡선 $y=x^2-3x+2$ 위의 점 $(1, 0)$에서의 접선이 지나는 사탕의 개수를 구하시오.

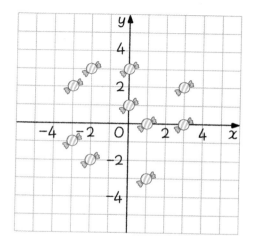

곡선 $y=f(x)$ 위의 점 $(a, f(a))$ 에서의 접선의 방정식은

$y=$ ❶ $(x-a)+f(a)$

답| ❶ $f'(a)$

04 함수 $f(x)=x^3+ax+2$의 그래프 위의 점 $(1, f(1))$에서의 접선의 방정식이 $y=2x+b$일 때, 상수 a, b에 대하여 $a+b$의 값은?

① -5 ② -4 ③ -3
④ -2 ⑤ -1

곡선 $y=f(x)$ 위의 점 $(a, f(a))$ 에서의 접선의 기울기는 ❶ 이다.

답| ❶ $f'(a)$

05 다음을 읽고, 곡선 $y=f(x)$ 위의 점 $(2, 1)$에서의 접선의 방정식이 $y=2x-3$일 때, 곡선 $y=(x-1)f(x)$ 위의 $x=2$인 점에서의 접선의 기울기를 구하시오.

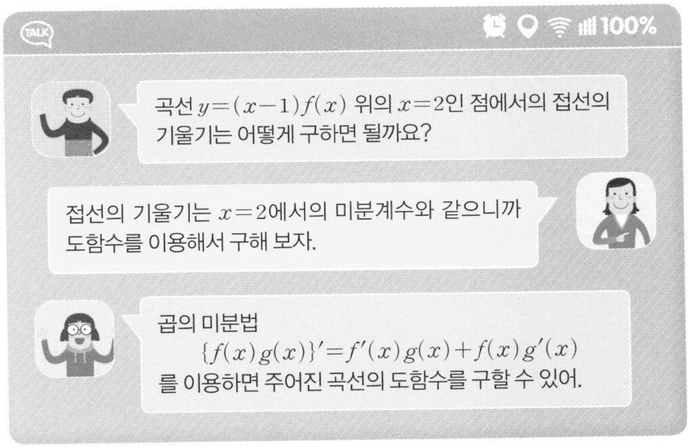

곡선 $y=(x-1)f(x)$ 위의 $x=2$인 점에서의 접선의 기울기는 어떻게 구하면 될까요?

접선의 기울기는 $x=2$에서의 미분계수와 같으니까 도함수를 이용해서 구해 보자.

곱의 미분법
$\{f(x)g(x)\}'=f'(x)g(x)+f(x)g'(x)$
를 이용하면 주어진 곡선의 도함수를 구할 수 있어.

함수 $f(x)$에 대하여 닫힌구간 $[a, b]$에서 평균값 정리를 만족시키는 x의 값이 c일 때,

$\dfrac{f(b)-f(a)}{b-a}=$ ❶

답| ❶ $f'(c)$

06 함수 $f(x)=x^2+4x$에 대하여 닫힌구간 $[-4, 2]$에서 상수 c가 평균값 정리를 만족시킬 때, 점 $(c, f(c))$에서의 접선의 기울기는?

① 1 ② 2 ③ 3
④ 4 ⑤ 5

07 함수 $f(x)=x^2-2x$에 대하여 닫힌구간 $[-3, 1]$에서 상수 c가 평균값 정리를 만족시킬 때, $f(c)+f'(c)$의 값은?

① -1 ② 0 ③ 1

④ 2 ⑤ 3

08 함수 $f(x)=|x-2|+1$이 $x=a$에서 극솟값 b를 가질 때, $a+b$의 값은?

① 0 ② 1 ③ 2

④ 3 ⑤ 4

09 컴퓨터 프로그램을 이용하여 함수 $f(x)=\frac{1}{3}x^3-x^2-3x$의 그래프를 그렸더니 다음 그림과 같다. 함수 $f(x)$는 $x=a$에서 극솟값 b를 가질 때, $a+b$의 값은?

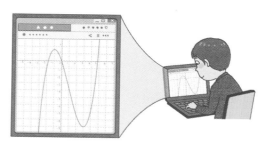

① -15 ② -12 ③ -9

④ -6 ⑤ -3

10 함수 $f(x)=2x^3-6x^2+3$이 $x=a$ 또는 $x=b$에서 극값을 가질 때, 두 점 A$(a, f(a))$, B$(b, f(b))$를 지나는 직선의 기울기는?

점 (a, b), (c, d)를 지나는 직선의 기울기는 $\dfrac{d-b}{c-a}$야.

① -5 ② -4 ③ -3

④ -2 ⑤ -1

11 함수 $f(x)=x^3-6x^2+9x+a$의 극솟값이 -2일 때, 함수 $f(x)$의 극댓값은? (단, a는 상수)

① 0   ② 1   ③ 2

④ 3   ⑤ 4

12 함수 $f(x)=x^3+ax^2+bx+1$이 $x=-3$에서 극댓값 28을 가질 때, 상수 a, b에 대하여 $a-b$의 값을 구하시오.

함수의 미분을 이렇게 다양하게 활용할 수 있다구~?

아직 끝이 아니야. 더 알아보러 가자!

5일차

6일차

7일차

속도와 가속도 체험관

물로켓을 쏘아 올린 지 1초 후의 물로켓의 속도 v와 가속도 a를 알 수 있을까?

1초 후의 속도는 $t=1$일 때 함수 $x(t)$의 순간변화율이라고 할 수 있어.

따라서 1초 후의 물로켓의 속도는 $v(1)=x'(1)=20$이야.

마찬가지로 가속도는 속도 함수의 순간변화율이므로 $a(1)=v'(1)=-10$ 임을 알 수 있어!

훌륭해요! 일반적인 위치 함수와 속도, 가속도와의 관계는 아래와 같이 나타낼 수 있어요.

속도와 가속도

수직선 위를 움직이는 점 P의 시각 t에서의 위치가 $x=f(t)$일 때, 시각 t에서 점 P의 속도 v와 가속도 a는 다음과 같다.

① $v=f'(t)$ ② $a=v'(t)$

체험 완료

함수 $f(x)$가 **❶** ⬚ 구간 $[a, b]$에서 **❷** ⬚ 이면 최대·최소 정리에 의하여 함수 $f(x)$는 이 닫힌구간에서 반드시 최댓값과 최솟값을 갖는다. 이때 함수 $f(x)$가 이 닫힌구간에서 극값을 가지면

$f(x)$의 **❸** ⬚ , $f(a)$, $f(b)$

중에서 가장 큰 값이 최댓값이고, 가장 작은 값이 최솟값이다.

참고 함수 $f(x)$가 닫힌구간 $[a, b]$에서 연속일 때, 극값을 갖지 않으면 $f(x)$는 $f(a)$와 $f(b)$ 중에서 최댓값과 최솟값을 갖는다.

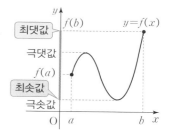

답 | ❶ 닫힌 ❷ 연속 ❸ 극값

● 기출 유형

닫힌구간 $[0, 4]$에서 함수 $f(x)=x^3-3x^2-9x+4$의 최댓값을 M, 최솟값을 m이라 할 때, $M-m$의 값은?

① 21   ② 23   ③ 25
④ 27   ⑤ 29

풀이 $f'(x)=3x^2-6x-9=3(x+1)(x-3)$

$f'(x)=0$에서 $x=3$ ($\because 0 \leq x \leq 4$)

x	0	$\cdots$	3	$\cdots$	4
$f'(x)$		$-$	0	$+$	
$f(x)$	4	↘	-23	↗	-16

즉 $0 \leq x \leq 4$일 때, 함수 $f(x)$는 $x=0$에서 최댓값 4, $x=3$에서 최솟값 -23을 가지므로

$M=4$, $m=-23$

$\therefore M-m=4-(-23)=27$

답 | ④

01-1 기출 유사   닫힌구간 $[-1, 2]$에서 함수 $f(x)=-x^3+3x+2$의 최댓값을 구하시오.

TIP
함수 $f(x)$가 닫힌구간 $[-1, 2]$에서 극값을 갖는지 확인해 봐!

01-2 기초력 확인   닫힌구간 $[1, 3]$에서 함수 $f(x)=|x-1|-1$의 최댓값을 M, 최솟값을 m이라 할 때, $M+m$의 값을 구하시오.

✔TIP
함수의 그래프를 그려서 최댓값과 최솟값을 구한다.

02 핵심 체크 함수의 그래프와 방정식의 실근

방정식 $f(x)=g(x)$의 실근은 두 함수 $y=f(x)$, $y=g(x)$의 그래프의 교점의 **❶**[　　　] 와 같다. 따라서 방정식 $f(x)-g(x)=0$의 서로 다른 실근의 개수는 두 함수 $y=f(x)$, $y=g(x)$의 그래프를 그린 후에 두 그래프의 **❷**[　　　] 의 개수를 조사하여 구할 수 있다.

개념 플러스
방정식 $f(x)=g(x)$의 서로 다른 실근의 개수는 함수 $y=f(x)-g(x)$의 그래프를 그린 후에 x축과의 교점의 개수를 조사하여 구할 수도 있다.

답 | ❶ x좌표 ❷ 교점

● 기출 유형

최고차항의 계수가 양수인 삼차함수 $f(x)$의 극댓값이 2, 극솟값이 -1일 때, 방정식 $f(x)-k=0$이 중근과 한 실근을 갖도록 하는 모든 상수 k의 값의 합은?

① -2 ② -1 ③ 0
④ 1 ⑤ 2

풀이 $f(x)-k=0$에서 $f(x)=k$

방정식 $f(x)=k$가 중근과 한 실근을 가지려면 함수 $y=f(x)$의 그래프와 직선 $y=k$가 서로 다른 두 점에서 만나야 한다.

함수 $y=f(x)$의 그래프가 오른쪽 그림과 같으므로

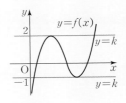

$k=-1$ 또는 $k=2$

$\therefore -1+2=1$

답 | ④

02-1 기출 유사

방정식 $x^3-6x^2-a=0$이 서로 다른 세 실근을 갖도록 하는 정수 a의 최솟값은?

① -33 ② -32 ③ -31
④ -30 ⑤ -29

✔TIP
방정식 $f(x)=g(x)$가 서로 다른 세 실근을 가지려면 두 함수 $y=f(x)$, $y=g(x)$의 그래프가 서로 다른 세 점에서 만나야 한다.

02-2 기초력 확인

방정식 $x^3-3x-a=0$이 서로 다른 두 실근을 가질 때, 모든 상수 a의 값의 곱은?

① -4 ② -2 ③ 0
④ 2 ⑤ 4

✔TIP

x^3-3x-a는 인수분해가 안 돼서 실근을 구할 수가 없어.

실근의 개수를 구하는 문제이니까 꼭 실근을 구할 필요는 없어.

$x^3-3x-a=0$

(1) 어떤 구간에서 부등식 $f(x) \geq 0$이 성립하는 것을 증명할 때는 그 구간에서
(함수 $f(x)$의 **❶**〔　　　〕) ≥ 0임을 보인다.

(2) 어떤 구간에서 부등식 $f(x) \geq g(x)$가 성립하는 것을 증명할 때는 $h(x)=f(x)-$**❷**〔　　　〕로 놓고 그 구간에서 (함수 $h(x)$의 최솟값) $\geq$ **❸**〔　　　〕임을 보인다.

답| ❶ 최솟값　❷ $g(x)$　❸ 0

● **기출 유형**

$x \geq 0$일 때, 부등식 $x^3-4x \geq -x+a$가 성립하도록 하는 실수 a의 최댓값은?

① -4　　② -2　　③ 0

④ 2　　⑤ 4

풀이| $x^3-4x \geq -x+a$에서 $x^3-3x-a \geq 0$

$f(x)=x^3-3x-a$로 놓으면

$f'(x)=3x^2-3=3(x+1)(x-1)$

$f'(x)=0$에서 $x=1 (\because x \geq 0)$

x	0	$\cdots$	1	$\cdots$
$f'(x)$		$-$	0	$+$
$f(x)$	$-a$	$\searrow$	$-a-2$	$\nearrow$

즉 $x \geq 0$일 때, 함수 $f(x)$는 $x=1$에서 최솟값 $-a-2$를 가지므로

$-a-2 \geq 0$　　$\therefore a \leq -2$

따라서 실수 a의 최댓값은 -2이다.

답| ②

03-1 기출 유사　$0 \leq x \leq 2$일 때, 부등식 $4x^3-12x+a \geq 0$이 성립하도록 하는 실수 a의 최솟값은?

① 6　　　② 8　　　③ 10

④ 12　　　⑤ 14

✔TiP
$f(x)=4x^3-12x+a$로 놓고 $0 \leq x \leq 2$에서 함수 $f(x)$의 최솟값을 구해 봐.

03-2 기초력 확인　$x \geq 0$일 때, 부등식 $x^2+2x+a \geq 0$이 성립하도록 하는 실수 a의 최솟값을 구하시오.

✔TiP
$f(x)=x^2+2x+a$로 놓고 $x \geq 0$에서 (함수 $f(x)$의 최솟값) ≥ 0 임을 이용한다.

04 핵심 체크 속도와 가속도

수직선 위를 움직이는 점 P의 시각 t에서의 위치 x가 $x=f(t)$일 때, 시각 t에서 점 P의 속도와 가속도는

(1) 속도: $v=\dfrac{\boxed{❶}}{dt}=f'(t)$

(2) 가속도: $a=\dfrac{dv}{dt}$

참고 수직선 위를 움직이는 점 P의 운동 방향은 $v>0$일 때 $\boxed{❷}$ 의 방향이고, $v<0$일 때 음의 방향이다.

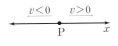

답| ❶ dx ❷ 양

● 기출 유형

수직선 위를 움직이는 점 P의 시각 t에서의 위치 x가 $x=-t^2+3t$이다. 점 P의 속도가 1일 때, 점 P의 위치는?

① 1　　　　② 2　　　　③ 3

④ 4　　　　⑤ 5

풀이| 시각 t에서 점 P의 속도를 v라 하면

$$v=\frac{dx}{dt}=-2t+3$$

이때 $-2t+3=1$에서 $t=1$

따라서 $t=1$에서 점 P의 위치는

$-1+3=2$

답| ②

04-1 기출 유사 수직선 위를 움직이는 점 P의 시각 t에서의 위치 x가 $x=2t^3-kt^2$이다. 시각 $t=1$에서 점 P가 운동 방향을 바꿀 때, 상수 k의 값을 구하시오.

✔TIP
점 P가 운동 방향을 바꿀 때의 속도는 0이다.

04-2 기초력 확인 원점을 출발하여 수직선 위를 움직이는 점 P의 시각 t에서의 위치 x가 $x=t^3-1.5t^2-3t$일 때, 속도가 3인 순간의 점 P의 가속도는?

① -18　　　② -9　　　③ 0

④ 9　　　　⑤ 18

기초력 집중드릴

해결 전략

주어진 구간에서 극값을 구한 후,
⓵ [ ] 과 $f(-2)$, $f(3)$ 중에서 최
댓값을 구한다.

답| ⓵ 극값

01 오른쪽 대화를 읽고, 화면에 나타나는 값을 구하시오.

이 연산 장치에 정의역과 함수식을 입력하면 최댓값이 화면에 나타난대.

$-2 \leq x \leq 3$

$f(x) = -x^3 + 3x^2 - 6$

그럼 화면에는 어떤 값이 나타날까요?

해결 전략

주어진 구간에서 ⓵ [ ] 을 구한 후,
극값과 $f(1)$, $f(4)$ 중에서 최솟값을
구한다.

답| ⓵ 극값

02 닫힌구간 $[1, 4]$에서 함수 $f(x) = x^3 - 3x^2 + a$의 최솟값이 0일 때, 상
수 a의 값은?

① 1　　　　　② 2　　　　　③ 3

④ 4　　　　　⑤ 5

해결 전략

주어진 구간에서 극값을 구한 후, 극
값과 $f(0)$, ⓵ [ ] 중에서 최댓값
과 최솟값을 구한다.

답| ⓵ $f(2)$

03 닫힌구간 $[0, 2]$에서 함수 $f(x) = -2x^3 + 3x^2 + a$의 최댓값이 4일
때, 함수 $f(x)$의 최솟값은? (단, a는 상수)

① -5　　　　② -4　　　　③ -3

④ -2　　　　⑤ -1

04 방정식 $x^3-3x+a=0$이 서로 다른 세 실근을 갖도록 하는 정수 a의 개수는?

① 2   ② 3   ③ 4

④ 5   ⑤ 6

05 다음 대화를 읽고, 상수 a의 최댓값을 구하시오.

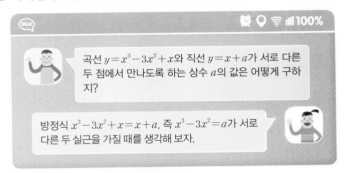

곡선 $y=x^3-3x^2+x$와 직선 $y=x+a$가 서로 다른 두 점에서 만나도록 하는 상수 a의 값은 어떻게 구하지?

방정식 $x^3-3x^2+x=x+a$, 즉 $x^3-3x^2=a$가 서로 다른 두 실근을 가질 때를 생각해 보자.

06 곡선 $y=2x^3-5x$와 직선 $y=x+a$가 서로 다른 세 점에서 만나도록 하는 상수 a의 값의 범위가 $\alpha<a<\beta$일 때, $\alpha+\beta$의 값은?

① -2 ② -1 ③ 0

④ 1   ⑤ 2

기초력 집중드릴

07 네 명의 학생이 두 함수 $f(x)=x^3+k$, $g(x)=3x^2$에 대하여 $x>0$일 때 부등식 $f(x)>g(x)$가 항상 성립하도록 하는 실수 k의 값이 적혀 있는 카드를 각각 하나씩 골랐다. 이 중에서 카드를 잘못 고른 학생을 고르시오.

신영   인호   찬혁   호철

08 $x\geq0$일 때, 부등식 $4x^3\geq6x^2-k$가 성립하도록 하는 실수 k의 최솟값은?

① 1   ② 2   ③ 3

④ 4   ⑤ 5

09 원점을 출발하여 수직선 위를 움직이는 점 P의 시각 t에서의 위치 x가 $x=-t^2+5t$일 때, 시각 $t=2$에서 점 P의 속도는?

① 1   ② 2   ③ 3

④ 4   ⑤ 5

10 직선 도로를 따라 움직이며 교통 상황을 확인하는 드론이 출발한 지 t시간 후에 출발점으로부터 $x=\dfrac{1}{3}t^3+5t$만큼 떨어진 지점에 있다. 출발한 지 1시간 후 드론의 속도와 가속도를 각각 α, β라 할 때, $\alpha+\beta$의 값은?

① 6 　　　　② 8 　　　　③ 10

④ 12 　　　　⑤ 14

11 원점을 출발하여 수직선 위를 움직이는 점 P의 시각 t에서의 위치 x가 $x=t^3-3t^2+3t$일 때, 점 P가 출발한 후 속도가 3인 순간의 가속도는?

① -6 　　　　② -3 　　　　③ 0

④ 3 　　　　⑤ 6

12 원점을 출발하여 수직선 위를 움직이는 점 P의 시각 t에서의 위치 x가 $x=t^3-3t^2$일 때, 점 P가 출발한 후 다시 원점을 지나는 순간의 속도를 구하시오.

점 P가 원점을 지날 때의 위치는 $x=0$이야.

06 일차

부정적분
체험관

방탈출 규칙: 상자에는 도함수가 $y'=2x$ 인 함수가 적힌 카드만을 담는다.

방을 탈출하려면 알맞은 카드를 상자에 넣어야 해.

$y=x^2, y=x^2+3,$ $y=x^2-2$ 를 넣을 수 있네.

$y=2x^2-1$ 과 $y=x^2+x$ 는 못 넣어!

그러게. $y=x^2, y=x^2+3,$ $y=x^2-2$ 와 같이 상수항만 다른 함수들의 도함수는 모두 같네?

모두들 그렇게 느꼈나요? 부정적분에 대해 다음과 같이 정리해 볼 수 있어요.

$y=x^2$ $y=2x^2-1$ $y=x^2+3$ $y=x^2+x$ $y=x^2-2$ $y'=2x$

부정적분

함수 $f(x)$ 에 대하여
도함수가 $f(x)$ 인 함수 $F(x)$,
즉 $F'(x)=f(x)$ 가 되는 함수 $F(x)$ 를
함수 $f(x)$ 의 부정적분이라 한다.

$$\int f(x)dx = F(x)+C$$

적분 →
← 미분

체험 완료

함수의 미분은 정말 다양한 곳에 쓰이네.

그렇네. 이번엔 함수의 적분을 체험할 수 있대.

5일차   **6일차**   7일차

정적분 체험관

마지막으로 탈출에 필요한 비밀번호는 함수 $f(x)=3x^2$의 한 부정적분 $F(x)$에 대하여 $F(3)-F(1)$의 값이다.

마지막으로 탈출에 필요한 힌트를 드디어 얻었어.

$F(x)=\int 3x^2 dx$
$\quad =x^3+C$
(C는 적분상수)야.

C의 값을 어떻게 구하지?

$F(3)-F(1)$
$=(27+C)-(1+C)=26$
으로 적분상수 C가 사라져. 비밀번호는 26이야.

C의 값을 몰라도 비밀번호를 구할 수 있었죠? 이것은 정적분의 정의로 설명할 수 있어요.

정적분

닫힌구간 $[a, b]$에서 연속인 함수 $f(x)$의 한 부정적분을 $F(x)$라 하면

$$\int_a^b f(x)\, dx = \left[F(x)\right]_a^b = F(b) - F(a)$$

체험 완료

(1) 함수 $f(x)$에 대하여 도함수가 $f(x)$인 함수 $F(x)$, 즉

$$F'(x)=f(x)$$

가 되는 함수 $F(x)$를 함수 $f(x)$의 **❶** ☐ 이라 한다. 이때

$$\int f(x)dx=F(x)+C \text{ (}C\text{는 적분상수)}$$

이다. 일반적으로 함수 $f(x)$의 부정적분을 구하는 것을 $f(x)$를 적분한다고 하며, 그 계산법을 **❷** ☐ 이라 한다.

(2) **함수 $y=x^n$ (n은 양의 정수)과 함수 $y=1$의 부정적분**

  ① 함수 $y=x^n$ (n은 양의 정수)의 부정적분은

$$\int x^n dx= \boxed{\text{❸}} x^{n+1}+C \text{ (단, }C\text{는 적분상수)}$$

  ② 함수 $y=1$의 부정적분은

$$\int 1 dx=x+C \text{ (단, }C\text{는 적분상수)}$$

답| ❶ 부정적분   ❷ 적분법   ❸ $\dfrac{1}{n+1}$

● **기출 유형**

함수 $f(x)$가 $f(x)=\displaystyle\int (3x^2+1)dx$이고 $f(0)=1$일 때, $f(2)$의 값은?

① 10   ② 11   ③ 12

④ 13   ⑤ 14

풀이 $f(x)=\displaystyle\int (3x^2+1)dx=x^3+x+C$

이때 $f(0)=1$이므로 $C=1$

따라서 $f(x)=x^3+x+1$이므로

$f(2)=8+2+1=11$

답| ②

01-1 기출 유사   함수 $f(x)$가 $f(x)=\displaystyle\int (2x+a)dx$이고 $f(1)-f(0)=4$일 때, 상수 a 의 값은?

① -2 ② -1 ③ 1

④ 2   ⑤ 3

✔TIP
양의 정수 n에 대하여
$$\int x^n dx=\frac{1}{n+1}x^{n+1}+C$$
(C는 적분상수)

01-2 기초력 확인   함수 $f(x)$가 $f(x)=\displaystyle\int (2x+1)dx$이고 $f(0)=0$일 때, $f(3)$의 값을 구하시오.

✔TIP
양의 정수 n에 대하여
$$\int x^n dx=\frac{1}{n+1}x^{n+1}+C$$
(C는 적분상수)

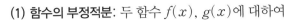

02 핵심 체크 부정적분과 미분의 관계

(1) 함수의 부정적분: 두 함수 $f(x)$, $g(x)$에 대하여

① $\int kf(x)dx = k\int f(x)dx$ (단, k는 0이 아닌 상수)

② $\int \{f(x)+g(x)\}dx = \int f(x)dx + \int g(x)dx$

③ $\int \{f(x)-g(x)\}dx = \int f(x)dx - \int g(x)dx$

(2) 부정적분과 미분의 관계: 함수 $f(x)$에 대하여

① $\dfrac{d}{dx}\left\{\int f(x)dx\right\} = \boxed{\text{❶}}$

② $\int \left\{\dfrac{d}{dx}f(x)\right\}dx = f(x) + \boxed{\text{❷}}$, 즉 $\int f'(x)dx = f(x)+C$ (단, C는 적분상수)

$\dfrac{d}{dx}\left\{\int f(x)dx\right\}$
$\neq \int \left\{\dfrac{d}{dx}f(x)\right\}dx$
임을 확인해.

답| ❶ $f(x)$ ❷ C

기출 유형

함수 $f(x)$가 $f'(x)=3x^2-2x+1$, $f(0)=1$을 만족시킬 때, $f(2)$의 값은?

① 6   ② 7   ③ 8

④ 9   ⑤ 10

풀이| $f(x)=\int f'(x)dx = \int(3x^2-2x+1)dx$

$\qquad = x^3-x^2+x+C$

이때 $f(0)=1$이므로 $C=1$

따라서 $f(x)=x^3-x^2+x+1$이므로

$f(2)=8-4+2+1=7$

답| ②

 **02-1 기출 유사** 함수 $f(x)$가 $f'(x)=-x^3+2$, $f(2)=10$을 만족시킬 때, $f(0)$의 값은?

① -10 ② -5 ③ 2

④ 5   ⑤ 10

 TiP
$f(x)=\int f'(x)dx$

02-2 기초력 확인 함수 $f(x)$가 $f'(x)=2x-3$, $f(0)=1$을 만족시킬 때, $f(10)$의 값을 구하시오.

 TiP
$f(x)=\int f'(x)dx$

닫힌구간 $[a, b]$에서 연속인 함수 $f(x)$의 한 부정적분을 $F(x)$라 할 때,
$F(b)-F(a)$를 함수 $f(x)$의 a에서 b까지의 **❶**[　　　　]이라 한다.
이 값은 적분상수 C와 관계없는 값이며, 기호로

$$\int_a^b f(x)dx$$

와 같이 나타낸다. 즉 $\int_a^b f(x)dx = F(b)-F(a)$이고 여기서 우변을 기호로 $\left[F(x) \right]_a^b$와 같이 나타낸다. 또
정적분 $\int_a^b f(x)dx$를 구하는 것을 $f(x)$를 a에서 **❷**[　　　　]까지 적분한다고 한다.

참고 $\int_a^a f(x)dx = $ **❸**[　　　　], $\int_a^b f(x)dx = -\int_b^a f(x)dx$

a, b를 각각 정적분의 아래끝, 위끝이라고 해.

답| ❶ 정적분 ❷ b ❸ 0

● **기출 유형**

$\int_0^1 (3x^2+2)dx$의 값은?

① 1　　　　② 2　　　　③ 3

④ 4　　　　⑤ 5

풀이| $\int_0^1 (3x^2+2)dx = \left[x^3+2x \right]_0^1$

$= (1+2)-0$

$= 3$

답| ③

03-1 기출 유사 $\int_0^1 (3x^2-4x+5)dx$의 값은?

① 1　　　　　　② 2　　　　　　③ 3

④ 4　　　　　　⑤ 5

✔TiP
함수 $f(x)$의 한 부정적분
$F(x)$에 대하여
$\int_a^b f(x)dx = F(b)-F(a)$

03-2 기초력 확인 다음은 네 명의 학생이 정적분이 적혀 있는 카드를 하나씩 들고 있는
모습이다. 다음 중 카드에 적혀 있는 값이 나머지 셋과 다른 하나를 들
고 있는 학생을 찾으시오.

✔TiP
함수 $f(x)$의 한 부정적분
$F(x)$에 대하여
$\int_a^b f(x)dx = F(b)-F(a)$

$\int_0^3 x^2\,dx$　현주　　$\int_{-1}^1 9\,dx$　기찬　　$\int_4^5 2x\,dx$　지윤　　$\int_0^9 3\,dx$　선우

04 핵심 체크 | 정적분의 성질

두 함수 $f(x)$, $g(x)$가 세 실수 a, b, c를 포함하는 열린구간에서 연속일 때

(1) $\int_a^b kf(x)dx=$ ❶ ⬚ $\int_a^b f(x)dx$ (단, k는 상수)

(2) $\int_a^b \{f(x)+g(x)\}dx=\int_a^b f(x)dx+\int_a^b g(x)dx$

(3) $\int_a^b \{f(x)-g(x)\}dx=\int_a^b f(x)dx-$ ❷ ⬚

(4) $\int_a^c f(x)dx+\int_c^b f(x)dx=\int_a^b f(x)dx$

답 | ❶ k ❷ $\int_a^b g(x)dx$

기출 유형

$\int_0^5 2xdx-\int_2^5 2xdx$의 값은?

① -4 ② -2 ③ 0

④ 2 ⑤ 4

풀이 $\int_0^5 2xdx-\int_2^5 2xdx$

$=\int_0^5 2xdx+\int_5^2 2xdx$

$=\int_0^2 2xdx$

$=\left[x^2\right]_0^2=4$

답 | ⑤

04-1 기출 유사 $\int_1^3 (-6x+4)dx+\int_1^3 (6x-1)dx$의 값을 구하시오.

✔TIP
$\int_a^b \{f(x)+g(x)\}dx$
$=\int_a^b f(x)dx+\int_a^b g(x)dx$

04-2 기초력 확인 $\int_0^1 (2x+1)dx+\int_1^2 (2x+1)dx+\int_2^3 (2x+1)dx$의 값은?

① 10 ② 11 ③ 12

④ 13 ⑤ 14

✔TIP

적분 구간만 다르고 피적분함수가 같은 정적분의 값을 3개나 구해야 돼.

정적분의 성질을 이용하여 $\int_0^3 (2x+1)dx$ 의 값을 구하면 돼.

기초력 집중드릴

해결 전략

$\displaystyle\int x^n dx = \boxed{❶} \, x^{n+1} + C$

$\displaystyle\int 1 dx = x + C$

답| ❶ $\dfrac{1}{n+1}$

01 함수 $f(x)$가 $f(x) = \displaystyle\int (4x-3)dx$이고 $f(0)=1$일 때, $f(-1)$의 값은?

① 0   ② 2   ③ 4

④ 6   ⑤ 8

해결 전략

$\displaystyle\int x^n dx = \dfrac{1}{n+1} x^{n+1} + C$

$\displaystyle\int 1 dx = \boxed{❶} + C$

답| ❶ x

02 다음 대화를 읽고, 함수 $3x^2-1$을 프로그램에 입력했을 때, 출력된 함수를 $g(x)$라 하자. $g(0)=3$일 때, $g(2)$의 값을 구하시오.

이건 함수 $f(x)$의 부정적분 $\displaystyle\int f(x)\,dx$를 구하는 프로그램이야.

부정적분은 무수히 많이 존재할텐데… 오류가 나면 어쩌죠?

해결 전략

$\displaystyle\int x^n dx = \boxed{❶} \, x^{n+1} + C$

$\displaystyle\int 1 dx = \boxed{❷} + C$

답| ❶ $\dfrac{1}{n+1}$ ❷ x

03 함수 $f(x)$가 $f(x) = \displaystyle\int (2x+a)dx$이고 $f(0)=f(2)=1$일 때, $f(1)$의 값은? (단, a는 상수)

① -1 ② 0   ③ 1

④ 2   ⑤ 3

04 함수 $f(x)$가 $f'(x) = 4x^3 + 1$, $f(0) = 1$을 만족시킬 때, $f(2)$의 값은?

① 16 ② 17 ③ 18

④ 19 ⑤ 20

05 함수 $f(x)$의 도함수가 $f'(x) = -2x + 3$이고, 함수 $f(x)$의 그래프가 두 점 $(0, 1)$, $(1, a)$를 지날 때, 상수 a의 값은?

① 1 ② 2 ③ 3

④ 4 ⑤ 5

06 함수 $f(x)$의 그래프 위의 임의의 점 $(x, f(x))$에서의 접선의 기울기가 $6x^2 - 2x + 1$이고 $f(0) = 1$일 때, $f(2)$의 값은?

① 11 ② 12 ③ 13

④ 14 ⑤ 15

접선의 기울기는 무슨 의미일까?

함수 $y = f(x)$의 그래프 위의 점 $(x, f(x))$에서의 접선의 기울기는 $f'(x)$야.

해결 전략

함수 $f(x)$의 한 ❶ [   ] $F(x)$에 대하여

$\int_a^b f(x)dx = F(b) - F(a)$

답| ❶ 부정적분

07 다음 그림과 같은 전개도를 이용하여 직육면체를 만들었을 때, 마주 보는 두 면에 있는 값의 합이 모두 같다고 한다. $A+B$의 값을 구하시오.

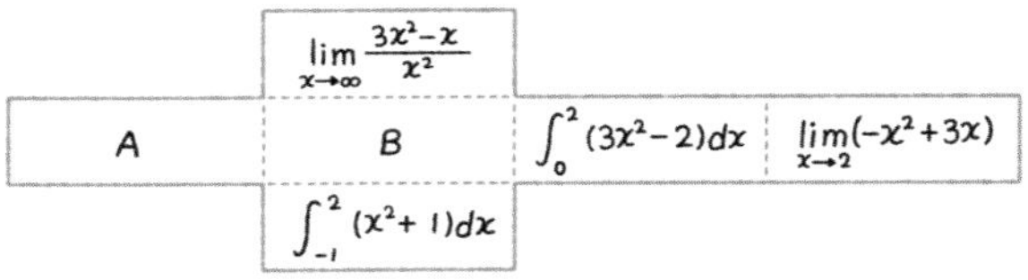
$\lim_{x\to\infty}\frac{3x^2-x}{x^2}$
A
B
$\int_0^2(3x^2-2)dx$
$\lim_{x\to2}(-x^2+3x)$
$\int_{-1}^2(x^2+1)dx$

해결 전략

함수 $f(x)$의 한 부정적분 $F(x)$에 대하여

$\int_a^b f(x)dx = F(b) -$ ❶ [   ]

답| ❶ $F(a)$

08 $\int_0^1 (6x^2+a)dx = 0$일 때, 상수 a의 값은?

① -5　② -4　③ -3
④ -2　⑤ -1

해결 전략

$\int_a^b f(x)dx + \int_b^c f(x)dx$
$=$ ❶ [   ]

답| ❶ $\int_a^c f(x)dx$

09 $\int_0^2 (3x^2-2)dx + \int_2^3 (3x^2-2)dx$의 값은?

① 18　② 21　③ 24
④ 27　⑤ 30

해결 전략

$$\int_a^b f(x)dx + \boxed{❶}$$

$$= \int_a^b \{f(x)+g(x)\}dx$$

답| ❶ $\int_a^b g(x)dx$

10 $\int_0^2 (3x^2 - 2x)dx + \int_0^2 (2x-1)dx$의 값을 구하시오.

적분 구간이 같을 때 정적분의 성질을 이용해서 식을 간단히 해 봐.

해결 전략

n이 자연수일 때,

$$\int_{-a}^a x^{2n-1}dx = \boxed{❶}$$

$$\int_{-a}^a x^{2n}dx = 2\int_0^a x^{2n}dx$$

답| ❶ 0

11 $\int_{-2}^2 (x^3 + 3x^2 - x + a)dx = 8$일 때, 상수 a의 값은?

① -2 ② -1 ③ 0

④ 1 ⑤ 2

해결 전략

$$\int_a^b \{f(x)+g(x)\}dx$$

$$= \int_a^b f(x)dx + \int_a^b \boxed{❶} dx$$

답| ❶ $g(x)$

12 $\int_0^2 \{3x^2 + f(x)\}dx = 5$일 때, $\int_0^2 f(x)dx$의 값은?

① -3 ② -1 ③ 0

④ 1 ⑤ 3

매일 매일 공부하는 **미리보기**

1일차　　2일차　　3일차　　4일차

정적분으로
정의된 함수 체험관

$$\frac{d}{dx}\int_{1}^{x}(2t-2)dt = \frac{d}{dx}\int_{2}^{x}(2t-2)dt$$

어? 칠판에 적혀 있는 거
틀린 거 같은데?
적분 구간의 아래끝이
다르잖아?

좌변을 계산하면
$$\frac{d}{dx}\int_{1}^{x}(2t-2)dt$$
$$=\frac{d}{dx}\left[t^2-2t\right]_{1}^{x}$$
$$=\frac{d}{dx}(x^2-2x+1)$$
$$=2x-2$$

우변도 계산하면
$$\frac{d}{dx}\int_{2}^{x}(2t-2)dt$$
$$=\frac{d}{dx}\left[t^2-2t\right]_{2}^{x}$$
$$=\frac{d}{dx}(x^2-2x)$$
$$=2x-2$$

아! 아래끝이 달라도
결과는 같구나!

방금 이야기한
부분에 대한 내용을
정리해볼까요?

정적분과 미분의 관계

함수 $f(t)$가 닫힌구간 $[a, b]$에서 연속일 때,
열린구간 (a, b)에 속하는 임의의
x에 대하여　$\dfrac{d}{dx}\displaystyle\int_{a}^{x}f(t)\,dt = f(x)$

체험 완료

5일차 6일차 **7일차**

속도와 거리 체험관

수직선 위를 움직이는 점의 위치와 위치의 변화량

수직선 위를 움직이는 점 P의 시각 t에서의 속도를 $v(t)$, 시각 $t=a$에서의 위치를 x_0이라 할 때

① 시각 t에서 점 P의 위치 x는

$$x = x_0 + \int_a^t v(t)dt$$

② 시각 $t=a$에서 $t=b$까지 점 P의 위치의 변화량은

$$\int_a^b v(t)dt$$

체험 완료

01 핵심 체크 정적분으로 정의된 함수

(1) 함수 $f(t)$가 닫힌구간 $[a, b]$에서 **❶[   ]** 일 때, 열린구간 (a, b)에 속하는 임의의 x에 대하여 정적분

$\int_a^x f(t)dt$는 x의 값에 따라 하나로 정해지므로 x에 대한 함수이다.

한편 함수 $f(t)$의 한 부정적분을 $F(t)$라 하면

$$\int_a^x f(t)dt = \left[F(t) \right]_a^x = F(x) - F(a)$$

이므로 이 식의 양변을 x에 대하여 미분하면 다음이 성립한다.

$$\frac{d}{dx}\int_a^x f(t)dt = \frac{d}{dx}\{F(x)-F(a)\} = F'(x)-0 = \boxed{❷}$$

$\int_a^x f(t)dt$는 t에 대한 함수가 아니라 x에 대한 함수이다.

(2) 정적분으로 정의된 함수의 극한

$$\lim_{x \to a}\frac{1}{x-a}\int_a^x f(t)dt = \lim_{x \to a}\frac{F(x)-F(a)}{x-a} = F'(a) = \boxed{❸}$$

답| ❶ 연속 ❷ $f(x)$ ❸ $f(a)$

기출 유형

다항함수 $f(x)$가 모든 실수 x에 대하여

$\int_1^x f(t)dt = -3x^3 - 2x + a$를 만족시킬 때, 상수 a의 값을 구하시오.

풀이| $\int_1^x f(t)dt = -3x^3 - 2x + a$의 양변에 $x=1$을 대입하면

$0 = -3-2+a$ ∴ $a=5$

답| 5

01-1 기출 유사

다항함수 $f(x)$가 모든 실수 x에 대하여 $\int_2^x f(t)dt = x^2 + ax + 4$를 만족시킬 때, $a + f(3)$의 값을 구하시오. (단, a는 상수)

TIP

실수 a에 대하여

$\dfrac{d}{dx}\int_a^x f(t)dt = f(x)$

01-2 기초력 확인

다항함수 $f(x)$가 모든 실수 x에 대하여 $\int_0^x f(t)dt = x^2 - 2x$를 만족시킬 때, 다음 중 $f(2)$의 값을 바르게 구한 학생을 고르시오.

TIP

실수 a에 대하여

$\dfrac{d}{dx}\int_a^x f(t)dt = f(x)$

02 핵심 체크 곡선과 x축 사이의 넓이

함수 $f(x)$가 닫힌구간 $[a, b]$에서 연속이고, 구간 $[a, c]$에서 $f(x) \leq 0$, 구간 $[c, b]$에서 $f(x) \geq 0$일 때 곡선 $y = f(x)$와 x축 및 두 직선 $x = a$, $x = b$로 둘러싸인 도형의 넓이 S는

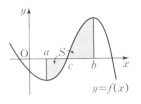

$$S = \int_a^c \{ \boxed{①} \} dx + \int_c^b \boxed{②} dx$$

$$= \int_a^c |f(x)| dx + \int_c^b |f(x)| dx$$

$$= \int_a^b |f(x)| dx$$

답| ① $-f(x)$ ② $f(x)$

● 기출 유형

곡선 $y = 3x^2 + 1$과 x축 및 두 직선 $x = 1$, $x = 2$로 둘러싸인 도형의 넓이는?

① 6   ② 7   ③ 8

④ 9   ⑤ 10

풀이| 곡선 $y = 3x^2 + 1$과 x축 및 두 직선 $x = 1$, $x = 2$로 둘러싸인 도형은 오른쪽 그림의 색칠한 부분과 같다.
따라서 구하는 넓이는

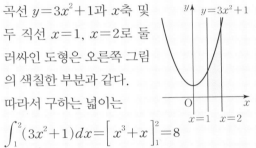

$$\int_1^2 (3x^2 + 1) dx = \left[x^3 + x \right]_1^2 = 8$$

답| ③

02-1 기출 유사 곡선 $y = -3x(x-2)$와 x축으로 둘러싸인 도형의 넓이는?

① 3   ② 4   ③ 5

④ 6   ⑤ 7

✔TIP
곡선 $y = f(x)$와 x축의 교점의 x좌표, 즉 방정식 $f(x) = 0$의 해를 구해 봐.

02-2 기초력 확인 곡선 $y = 3x^2$과 x축 및 직선 $x = 2$로 둘러싸인 도형의 넓이는?

① 6   ② 7   ③ 8

④ 9   ⑤ 10

✔TIP
구간 $[0, 2]$에서 $y \geq 0$이다.

두 함수 $f(x)$, $g(x)$가 닫힌구간 $[a, b]$에서 연속일 때, 두 곡선 $y=f(x)$, $y=g(x)$
와 두 직선 $x=a$, $x=$ ❶ ⬚ 로 둘러싸인 도형의 넓이 S는

$$S=\int_a^b |❷ \boxed{}| dx$$

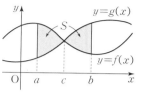

답 | ❶ b ❷ $f(x)-g(x)$

● **기출 유형**

곡선 $y=3x^2-6x+3$과 직선 $y=3$으로 둘러싸인
도형의 넓이는?

① 3　　　　　② 4　　　　　③ 5

④ 6　　　　　⑤ 7

풀이 | 주어진 곡선과 직선의 교점의 x좌표는

$3x^2-6x+3=3$에서

$3x(x-2)=0$　　∴ $x=0$ 또는 $x=2$

따라서 오른쪽 그림에서
구하는 넓이는

$$\int_0^2 \{3-(3x^2-6x+3)\}dx$$

$$=\int_0^2 (-3x^2+6x)dx$$

$$=\Big[-x^3+3x^2\Big]_0^2 = 4$$

답 | ②

03-1 기출 유사　곡선 $y=x^2-2x-1$과 직선 $y=x-1$로 둘러싸인 도형의 넓이를
S라 할 때, $2S$의 값을 구하시오.

✔TIP

먼저 그래프를 그려서 곡선과
직선의 위치 관계를 파악해 봐.

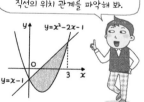

03-2 기초력 확인　곡선 $y=x^2$과 직선 $y=1$로 둘러싸인 도형의 넓이는?

① $\dfrac{1}{3}$　　　　　② $\dfrac{2}{3}$　　　　　③ 1

④ $\dfrac{4}{3}$　　　　　⑤ $\dfrac{5}{3}$

✔TIP

도형의 넓이의 적분 구간은
주어진 곡선과 직선의 교점
의 x좌표를 이용하여 구한
다.

04 핵심 체크 — 속도와 거리

수직선 위를 움직이는 점 P의 시각 t에서의 속도를 $v(t)$, 시각 $t=a$에서의 위치를 x_0이라 할 때

개념 플러스 🔧

속도 $v(t)$의 그래프가 주어질 때, 움직인 거리는 속도 $v(t)$의 그래프와 t축으로 둘러싸인 도형의 넓이와 같다.

(1) 시각 t에서 점 P의 위치 x는 $x = \boxed{\text{❶}\quad} + \displaystyle\int_a^t v(t)dt$

(2) 시각 $t=a$에서 $t=b$까지 점 P의 위치의 $\boxed{\text{❷}\quad}$은 $\displaystyle\int_a^b v(t)dt$

(3) 시각 $t=a$에서 $t=b$까지 점 P가 움직인 거리 s는 $s = \displaystyle\int_a^b \boxed{\text{❸}\quad} dt$

답 | ❶ x_0 ❷ 변화량 ❸ $|v(t)|$

● 기출 유형

원점을 출발하여 수직선 위를 움직이는 점 P의 시각 t에서의 속도 $v(t)$가 $v(t)=t^2-2t+2$이다. 시각 $t=3$에서 점 P의 위치는?

① 4 　　② 5 　　③ 6
④ 7 　　⑤ 8

풀이 | 시각 $t=3$에서 점 P의 위치는

$$0+\int_0^3 (t^2-2t+2)dt = \left[\frac{1}{3}t^3-t^2+2t\right]_0^3$$
$$=6$$

답 | ③

04-1 기출 유사

수직선 위를 움직이는 점 P의 시각 t에서의 속도 $v(t)$가 $v(t)=-4t+8$일 때, 시각 $t=0$에서 $t=3$까지 점 P의 위치의 변화량은?

① -4 　　② -2 　　③ 2
④ 4 　　⑤ 6

✔ **TiP**

시각 $t=0$에서 $t=3$까지 점 P의 위치의 변화량은
$$\int_0^3 v(t)dt$$

04-2 기초력 확인

수직선 위를 움직이는 점 P의 시각 t에서의 속도 $v(t)$가 $v(t)=2t+1$일 때, 시각 $t=0$에서 $t=5$까지 점 P의 위치의 변화량을 구하시오.

✔ **TiP**

움직인 거리는 항상 양수이지만 위치의 변화량은 양수일 수도 있고 음수일 수도 있어.

기초력 집중드릴

해결 전략

실수 a에 대하여

$$\frac{d}{dx}\int_a^x f(t)dt = \boxed{\text{❶}}$$

답| ❶ $f(x)$

01 다항함수 $f(x)$가 모든 실수 x에 대하여 $\int_1^x f(t)dt = x^3 - 2x + 1$을 만족시킬 때, $f(1)$의 값은?

① 0   ② 1   ③ 2

④ 3   ⑤ 4

해결 전략

실수 a에 대하여

$$\frac{d}{dx}\int_a^x f(t)dt = \boxed{\text{❶}}$$

답| ❶ $f(x)$

02 다항함수 $f(x)$가 모든 실수 x에 대하여 $\int_0^x f(t)dt = x^2 + ax$이고 $f(0) = 3$일 때, 상수 a의 값은?

① 0   ② 1   ③ 2

④ 3   ⑤ 4

해결 전략

실수 a에 대하여

$$\int_a^a f(t)dt = \boxed{\text{❶}}$$

답| ❶ 0

03 다항함수 $f(x)$가 모든 실수 x에 대하여 $\int_{-1}^x f(t)dt = x^2 + 2x + a$를 만족시킬 때, 다음 대화를 읽고 상수 a의 값을 구하시오.

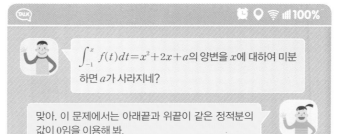

$\int_{-1}^x f(t)dt = x^2 + 2x + a$의 양변을 x에 대하여 미분하면 a가 사라지네?

맞아. 이 문제에서는 아래끝과 위끝이 같은 정적분의 값이 0임을 이용해 봐.

해결 전략

실수 a에 대하여

$$\int_a^a f(t)dt = \boxed{❶}$$

답|❶ 0

04 다항함수 $f(x)$가 모든 실수 x에 대하여 $\int_a^x f(t)dt = 2x - 6$을 만족시킬 때, 상수 a의 값은?

① 0   ② 1   ③ 2

④ 3   ⑤ 4

해결 전략

정적분 $\int_0^2 f(t)dt$의 값은 $\boxed{❶}$ 임을 이용한다.

답|❶ 상수

05 함수 $f(x)$가 모든 실수 x에 대하여 $f(x) = 3x + \int_0^2 f(t)dt$를 만족시킬 때, $f(5)$의 값은?

① 6   ② 7   ③ 8

④ 9   ⑤ 10

함수 $f(x)$가 정적분을 항으로 갖고 있어서 풀 수가 없어.

정적분의 위끝과 아래끝이 상수이니까 정적분을 적당한 상수 k로 놓고 풀어 봐.

해결 전략

곡선 $y = f(x)$와 x축 및 두 직선 $x = a$, $x = b$로 둘러싸인 도형의 넓이는 $\int_a^b \boxed{❶} \, dx$

답|❶ $|f(x)|$

06 곡선 $y = 3x^2 + 1$과 x축, y축 및 직선 $x = 2$로 둘러싸인 도형의 넓이는?

① 6   ② 8   ③ 10

④ 12   ⑤ 14

기초력 집중드릴

해결 전략

곡선 $y=f(x)$와 x축으로 둘러싸인
도형의 넓이를 구할 때, 적분 구간은
$y=f(x)$의 그래프와 x축의 교점의
❶ □ 를 이용하여 구한다.

답| ❶ x좌표

07 곡선 $y=x^2-2x$와 x축으로 둘러싸인 도형의 넓이는?

① $\dfrac{7}{6}$ 　　　　② $\dfrac{4}{3}$ 　　　　③ $\dfrac{3}{2}$

④ $\dfrac{5}{3}$ 　　　　⑤ $\dfrac{11}{6}$

해결 전략

곡선 $y=f(x)$와 직선 $y=k$로 둘러
싸인 도형의 넓이를 구할 때, 적분
구간은 $y=f(x)$의 그래프와 직선
$y=k$의 ❶ □ 의 x좌표를 이용하
여 구한다.

답| ❶ 교점

08 곡선 $y=x^2-3$과 직선 $y=1$로 둘러싸인 도형의 넓이는?

① 10 　　　　② $\dfrac{31}{3}$ 　　　　③ $\dfrac{32}{3}$

④ 11 　　　　⑤ $\dfrac{34}{3}$

해결 전략

두 곡선 $y=f(x)$, $y=g(x)$로 둘러
싸인 도형의 넓이를 구할 때, 적분 구
간은 $y=f(x)$, $y=$ ❶ □ 의 그래
프의 교점의 x좌표를 이용하여 구한
다.

답| ❶ $g(x)$

09 다음 대화를 읽고, 그물로 둘러싸인 부분의 넓이를 구하시오.

시각 $t=0$에서의 위치가 x_0이고, 수직선 위를 움직이는 점 P의 속도가 $v(t)$일 때, 시각 $t=a$에서 점 P의 위치 x는

$$x = \boxed{①} + \int_0^a \boxed{②} \, dt$$

답| ❶ x_0 ❷ $v(t)$

10 원점을 출발하여 수직선 위를 움직이는 점 P의 시각 t에서의 속도 $v(t)$가 $v(t)=-4t+5$이다. 시각 $t=3$에서 점 P의 위치는?

① -3 ② -1

③ 1 ④ 3

⑤ 5

원점에서 출발했으니까 $x_0=0$이야.

시각 $t=0$에서의 위치가 x_0이고, 수직선 위를 움직이는 점 P의 속도가 $v(t)$일 때, 시각 $t=a$에서 점 P의 위치 x는

$$x = x_0 + \int_0^a \boxed{①} \, dt$$

답| ❶ $v(t)$

11 수직선 위를 움직이는 점 P의 시각 t에서의 속도 $v(t)$가 $v(t)=-2t+7$이다. 시각 $t=3$에서 점 P의 위치가 11일 때, 시각 $t=0$에서 점 P의 위치는?

① -3 ② -1 ③ 1

④ 3 ⑤ 5

수직선 위를 움직이는 점 P의 속도가 $v(t)$일 때, 시각 $t=a$에서 $t=b$까지 점 P가 움직인 거리는

$$\int_a^b \boxed{①} \, dt$$

답| ❶ $|v(t)|$

12 직선 레일 위를 움직이는 장난감 기차가 출발한 지 t분 후의 속도 $v(t)$가 $v(t)=-4t+4$일 때, 출발한 지 3분 후까지 장난감 기차가 움직인 거리를 구하시오.

memo

누구나 100점 테스트 1회

1 $\lim_{x \to 1}(x^2+2x+6)$의 값은?

① 5   ② 7   ③ 9

④ 11   ⑤ 13

2 $\lim_{x \to 0}\dfrac{x(x+5)}{x}$의 값은?

① 1   ② 2   ③ 3

④ 4   ⑤ 5

3 $\lim_{x \to \infty}\dfrac{3x+1}{x+1}$의 값은?

① 1   ② 3   ③ 5

④ 7   ⑤ 9

4 함수 $y=f(x)$의 그래프가 다음 그림과 같을 때, $\lim_{x \to 1-}f(x)$의 값은?

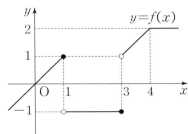

① -1 ② 1   ③ 2

④ 3   ⑤ 4

5 함수 $y=f(x)$의 그래프가 오른쪽 그림과 같을 때, 다음 중 옳은 내용이 적힌 카드의 개수를 구하시오.

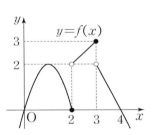

| $f(2)=0$ | $f(3)=2$ | $\lim_{x \to 2+}f(x)=2$ |

1

6 다음 대화를 읽고, 상수 a의 값을 구하시오.

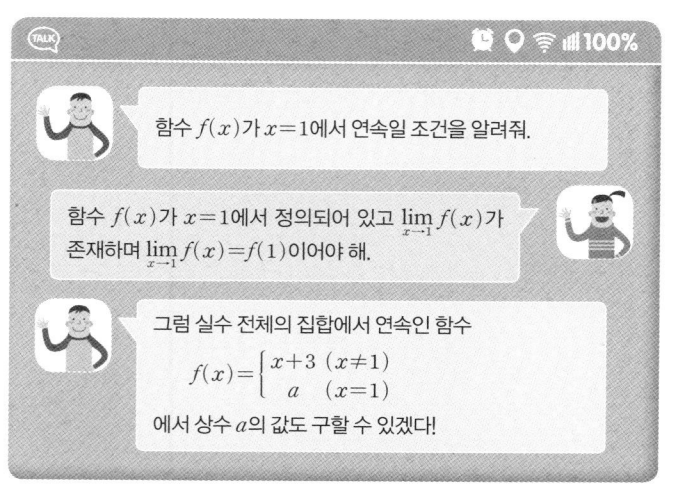

함수 $f(x)$가 $x=1$에서 연속일 조건을 알려줘.

함수 $f(x)$가 $x=1$에서 정의되어 있고 $\lim\limits_{x\to 1} f(x)$가 존재하며 $\lim\limits_{x\to 1} f(x)=f(1)$이어야 해.

그럼 실수 전체의 집합에서 연속인 함수
$$f(x)=\begin{cases} x+3 & (x\neq 1) \\ a & (x=1) \end{cases}$$
에서 상수 a의 값도 구할 수 있겠네!

7 함수 $f(x)=x^3$에 대하여 $f'(1)$의 값은?

① 2   ② 3   ③ 4
④ 5   ⑤ 6

8 함수 $f(x)=x^2+3x-1$에 대하여 $f'(0)$의 값은?

① -1 ② 0   ③ 1
④ 2   ⑤ 3

9 다항함수 $f(x)$에 대하여 $\lim\limits_{h\to 0}\dfrac{f(3+h)-f(3)}{h}=4$ 일 때, $f'(3)$의 값은?

① 1   ② 2   ③ 3
④ 4   ⑤ 5

10 도서관 컴퓨터에 로그인 비밀번호가 걸려 있다. 다음 화면에 있는 힌트를 보고, 로그인 비밀번호를 구하시오.

비밀번호: ☐

힌트:
다항함수 $f(x)$에 대하여
$\lim\limits_{x\to 2}\dfrac{f(x)-f(2)}{x-2}=6$ 일 때, $f'(2)$의 값

1 곡선 $y=x^2+3x$ 위의 점 $(1, 4)$에서의 접선의 기울기는?

① 1   ② 2   ③ 3

④ 4   ⑤ 5

2 함수 $f(x)=2x^2+mx+1$이 $x=1$에서 극소일 때, 상수 m의 값은?

① -4 ② -2 ③ 0

④ 2   ⑤ 4

3 함수 $f(x)$에 대하여 두 학생이 다음과 같이 말하고 있을 때, 방정식 $f(x)=0$의 서로 다른 실근의 개수를 구하시오.

함수 $f(x)$는 삼차함수야.

함수 $f(x)$는 $x=-1$에서 극댓값 2, $x=1$에서 극솟값 0을 가져.

4 수직선 위를 움직이는 점 P의 시각 t에서의 위치 x가 $x=-t^2+6t$일 때, 시각 $t=2$에서 점 P의 속도는?

① -4 ② -1 ③ 2

④ 5   ⑤ 8

5 함수 $f(x)$가 $f'(x)=4x+5$, $f(0)=0$을 만족시킬 때, $f(1)$의 값은?

① 6   ② 7   ③ 8

④ 9   ⑤ 10

6 다음 대화를 읽고, $\int_0^1 (4x-5)dx$의 값을 구하면?

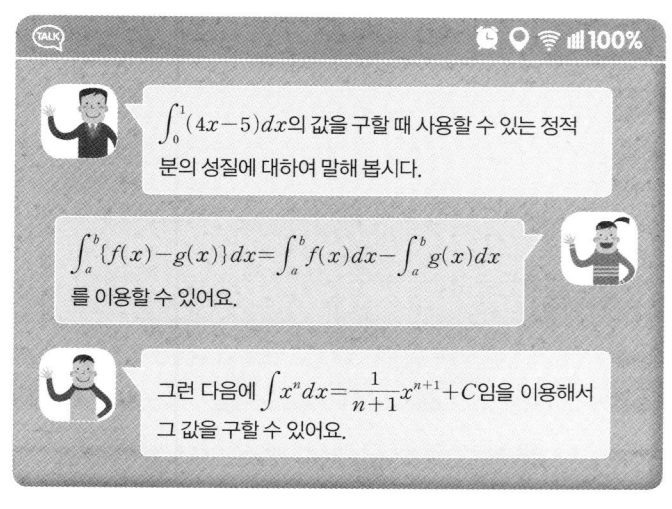

$\int_0^1 (4x-5)dx$의 값을 구할 때 사용할 수 있는 정적분의 성질에 대하여 말해 봅시다.

$\int_a^b \{f(x)-g(x)\}dx=\int_a^b f(x)dx-\int_a^b g(x)dx$
를 이용할 수 있어요.

그런 다음에 $\int x^n dx=\frac{1}{n+1}x^{n+1}+C$임을 이용해서 그 값을 구할 수 있어요.

① -3 ② -1 ③ 1
④ 3 ⑤ 5

7 $\int_{-1}^1 (2x+1)dx$의 값은?

① 1 ② 2 ③ 3
④ 4 ⑤ 5

8 곡선 $y=x^2$과 x축 및 직선 $x=3$으로 둘러싸인 도형의 넓이는?

① 6 ② 7 ③ 8
④ 9 ⑤ 10

9 다음 그림은 일정한 속력으로 움직이는 무빙워크 위에 정희가 무빙워크가 움직이는 방향을 보고 서있는 모습이다. 무빙워크의 왼쪽 끝점 O에서 출발하여 움직이는 정희의 시각 t에서의 속도 $v(t)$가 $v(t)=\frac{1}{2}$일 때, 시각 $t=10$에서 점 O에 대한 정희의 위치는?

정희

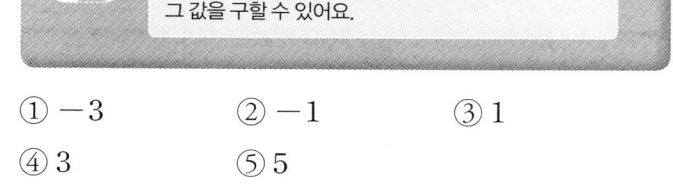

O

① 3 ② 5 ③ 7
④ 9 ⑤ 11

10 원점을 출발하여 수직선 위를 움직이는 점 P의 시각 t에서의 속도 $v(t)$가 $v(t)=2t+3$이다. 시각 $t=0$에서 $t=2$까지 점 P의 위치의 변화량은?

① -6 ② -2 ③ 2
④ 6 ⑤ 10

수능 기초 예상 문제 1회

1 $\lim\limits_{x \to 1} \dfrac{x^2+3x}{x+1}$의 값은?

　① 1　　　　② $\dfrac{3}{2}$　　　　③ 2

　④ $\dfrac{5}{2}$　　　　⑤ 3

2 $\lim\limits_{x \to 0} \dfrac{x^2+3x}{x}$의 값은?

　① 1　　　　② 3　　　　③ 5

　④ 7　　　　⑤ 9

3 $\lim\limits_{x \to \infty} \dfrac{ax+3}{x+1}=2$일 때, 상수 a의 값은?

　① 1　　　　② 2　　　　③ 3

　④ 4　　　　⑤ 5

4 함수 $y=f(x)$의 그래프가 다음 그림과 같을 때,
$\lim\limits_{x \to 1+} f(x) + \lim\limits_{x \to 2-} f(x)$의 값은?

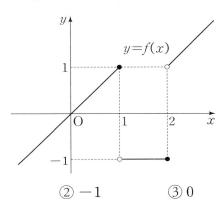

　① -2　　　　② -1　　　　③ 0

　④ 1　　　　⑤ 2

5 함수

$$f(x) = \begin{cases} x^2 + a & (x \neq 0) \\ 2 & (x = 0) \end{cases}$$

이 $x = 0$에서 연속일 때, 상수 a의 값은?

① 1   ② 2   ③ 3

④ 4   ⑤ 5

6 함수 $f(x) = x^3 + 2x + 1$에 대하여 $f'(1)$의 값은?

① -1 ② 0   ③ 1

④ 3   ⑤ 5

7 다항함수 $f(x)$에 대하여 $f'(2) = 1$일 때, $\displaystyle\lim_{h \to 0} \frac{f(2+3h) - f(2)}{h}$의 값은?

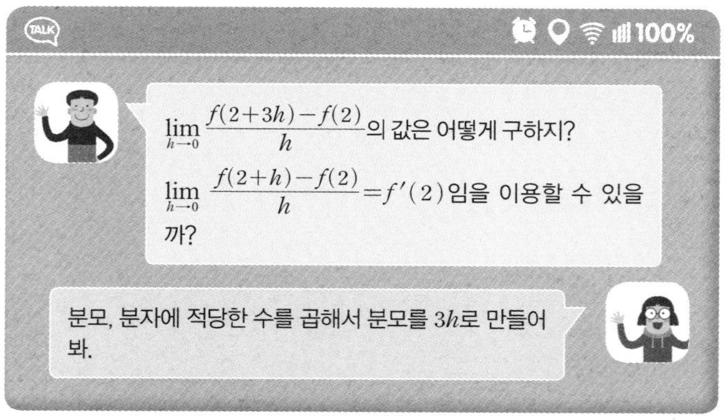

TALK   📷 ♡ 📶 100%

> $\displaystyle\lim_{h \to 0} \frac{f(2+3h) - f(2)}{h}$의 값은 어떻게 구하지?
>
> $\displaystyle\lim_{h \to 0} \frac{f(2+h) - f(2)}{h} = f'(2)$임을 이용할 수 있을까?

> 분모, 분자에 적당한 수를 곱해서 분모를 $3h$로 만들어봐.

① 1   ② 2   ③ 3

④ 4   ⑤ 5

8 함수 $f(x)=x^2+ax-3$에 대하여

$\lim_{x \to 1} \dfrac{f(x)-f(1)}{x-1}=5$일 때, 상수 a의 값은?

① -3 ② 0 ③ 3

④ 6 ⑤ 9

9 곡선 $y=x^3-2x+5$ 위의 점 $(1,\ 4)$에서의 접선의 기울기는?

① 1 ② 2 ③ 3

④ 4 ⑤ 5

10 편의점에서 1000원짜리 젤리 a개와 1500원짜리 쿠키 b개를 사려고 한다. 두 실수 a, b가 다음과 같을 때, 지불해야 하는 총 금액은?

함수 $f(x)=-x^2+6x-5$는 $x=a$에서 극댓값 b를 갖는다.

① 8000원   ② 9000원   ③ 10000원

④ 11000원   ⑤ 12000원

11 삼차함수 $f(x)$가 $x=-1$에서 극댓값 3, $x=1$에서 극솟값 0을 갖는다. 함수 $f(x)$의 그래프와 직선 $y=k$가 서로 다른 세 점에서 만날 때, 모든 자연수 k의 값의 합은?

① 1   ② 2   ③ 3

④ 4   ⑤ 5

12 수직선 위를 움직이는 점 P의 시각 t에서의 위치 x가 $x=-t^3+12t+5$이다. 점 P가 운동 방향을 바꾸는 시각은?

① 1   ② 2   ③ 3

④ 4   ⑤ 5

13 다음 그림과 같은 자물쇠의 비밀번호는 세 자리 숫자이다. 각 자리의 숫자에 대한 힌트를 읽고, 자물쇠의 비밀번호를 구하시오.

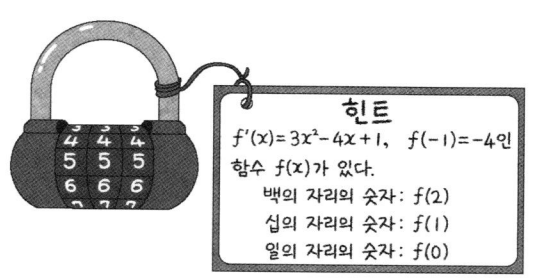

힌트
$f'(x)=3x^2-4x+1$, $f(-1)=-4$인 함수 $f(x)$가 있다.
백의 자리의 숫자: $f(2)$
십의 자리의 숫자: $f(1)$
일의 자리의 숫자: $f(0)$

10일 격파

수능 Final 기초 course

기초 course

수능
기초 **10**일 격파

수학 영역
수학 Ⅱ

정답과 풀이

천재교육

10일 격파

굽은 허리를 꼿꼿하게!
허리 스트레칭

바르지 못한 자세로 오래 앉아 있게 되면, 허리 근육에 무리가 오고 통증으로 이어지게 됩니다. 내 몸의 중심인 허리 건강을 위해 꾸준한 스트레칭과 바른 자세가 무엇보다 중요하다는 것! 잊지 마세요.

❶ 의자에 앉아 무릎과 발 사이를 어깨너비 정도로 벌리고, 발은 11자 모양으로 반듯하게 놓습니다.

❷ 숨을 뱉으며 상체를 서서히 숙입니다. 허리를 편 상태에서, 가능한 만큼 숙여 주세요. 고개를 숙인 채로 30초간 2번의 자세를 유지합니다.

❸ 천천히 일어나 어깨를 펴고 두 손에 깍지를 낀 다음, 팔을 올려 오른쪽으로 당겨줍니다. 왼쪽도 똑같이 반복합니다.

※ 스트레칭도 좋지만, 자세가 바르지 못하면 허리에 지속해서 무리가 가니, 의식적으로 바른 자세로 앉는 것이 제일 중요합니다.

14 $\displaystyle\int_0^2 (4x+1)\,dx$의 값은?

① 4 ② 6 ③ 8

④ 10 ⑤ 12

15 다음 대화에서 ☐ 안에 알맞은 수는?

다항함수 $f(x)$가 모든 실수 x에 대하여 $\displaystyle\int_1^x f(t)\,dt = x^3 - 3x + 2$ 를 만족시킬 때, $f(2)$의 값은 어떻게 구하지?

좌변을 x에 대하여 미분하면 $\dfrac{d}{dx}\displaystyle\int_1^x f(t)\,dt = f(x)$야. 따라서 $f(2) = $ ☐ 야.

① 1 ② 3 ③ 5

④ 7 ⑤ 9

16 다음 그림과 같이 직선도로 옆에 곡선 $y = -3x^2 + 6x$와 같은 모양의 산책로로 둘러싸인 호수가 있다. 이때 호수의 넓이를 구하시오.

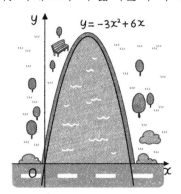

17 원점을 출발하여 수직선 위를 움직이는 점 P의 시각 t에서의 속도 $v(t)$가 $v(t) = 2t + 3$이다. 시각 $t = 2$에서 점 P의 위치를 구하시오.

수능 기초 예상 문제 2회

1 $\lim_{x \to 1}(x^3 - 2x + 5)$의 값은?

① 1   ② 2   ③ 4

④ 6   ⑤ 8

3 $\lim_{x \to \infty} \dfrac{ax^2 + x}{x^2 + 1} = 3$일 때, 상수 a의 값은?

① 1   ② 2   ③ 3

④ 4   ⑤ 5

4 함수 $y = f(x)$의 그래프가 다음 그림과 같을 때, $f(1) + \lim_{x \to 0-} f(x)$의 값은?

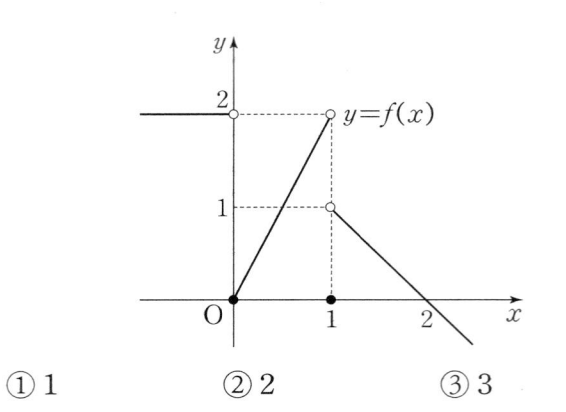

① 1   ② 2   ③ 3

④ 4   ⑤ 5

2 $\lim_{x \to 2} \dfrac{x^2 - 4}{x - 2}$의 값은?

① 1   ② 2   ③ 3

④ 4   ⑤ 5

5 함수

$$f(x) = \begin{cases} x^2 + x & (x \neq 1) \\ a & (x = 1) \end{cases}$$

이 실수 전체의 집합에서 연속일 때, $f(a)$의 값은?

(단, a는 상수)

① 5　　　　② 6　　　　③ 7

④ 8　　　　⑤ 9

6 함수 $f(x) = x(2x-1)$에 대하여 $f'(1)$의 값은?

① −1　　　　② 0　　　　③ 1

④ 2　　　　⑤ 3

7 함수 $f(x) = x^3 + 2x - 3$에 대하여

$$\lim_{h \to 0} \frac{f(1+2h) - f(1)}{h}$$의 값은?

① −10　　　　② −5　　　　③ 0

④ 5　　　　⑤ 10

8 함수 $f(x)=x^3+ax+b$에 대하여 두 학생이 다음과 같이 말하고 있을 때, 상수 a, b에 대하여 $a+b$의 값은?

함수 $y=f(x)$의 그래프는 점 $(-1, 2)$를 지나.

점 $(-1, 2)$에서의 함수 $f(x)$의 접선의 기울기는 5야.

① 5   ② 6   ③ 7

④ 8   ⑤ 9

9 함수 $f(x)=x^3-3x+5$의 극솟값은?

① 1   ② 2   ③ 3

④ 4   ⑤ 5

10 수직선 위를 움직이는 점 P의 시각 t에서의 위치 x가 $x=3t^2+2t+1$이다. 시각 $t=2$에서 점 P의 속도, 가속도를 각각 α, β라 할 때, $\alpha+\beta$의 값은?

① 14   ② 16   ③ 18

④ 20   ⑤ 22

11 다항함수 $f(x)$가

$$f(x) = \int (3x^2 - 4x + 5)\,dx,\; f(1) = 2$$

를 만족시킬 때, $f(2)$의 값은?

① 6　　　　② 7　　　　③ 8

④ 9　　　　⑤ 10

12 $\displaystyle\int_1^3 (6x^2 - 2x + 1)\,dx$의 값은?

① 40　　　　② 42　　　　③ 44

④ 46　　　　⑤ 48

13 다음 두 학생이 들고 있는 카드에 적힌 정적분의 값의 합은?

① 26　　　　② 27　　　　③ 28

④ 29　　　　⑤ 30

14 다음 대화에서 상수 a의 값은?

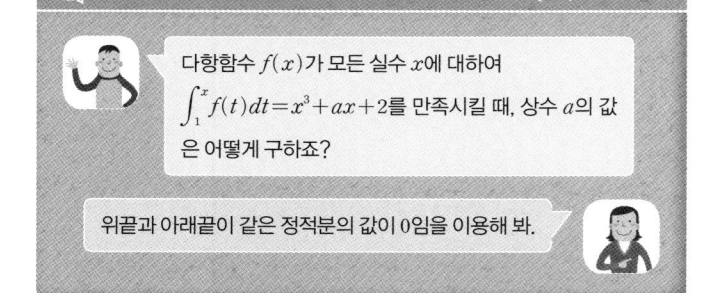

다항함수 $f(x)$가 모든 실수 x에 대하여 $\int_1^x f(t)dt = x^3 + ax + 2$를 만족시킬 때, 상수 a의 값은 어떻게 구하죠?

위끝과 아래끝이 같은 정적분의 값이 0임을 이용해 봐.

① -9 ② -7 ③ -5
④ -3 ⑤ -1

15 곡선 $y = x^2 - 3x$와 x축으로 둘러싸인 도형의 넓이는?

① $\dfrac{5}{2}$ ② 3 ③ $\dfrac{7}{2}$
④ 4 ⑤ $\dfrac{9}{2}$

16 지면으로부터 40 cm의 높이에서 지면에 수직인 방향으로 움직이는 장난감이 있다. t분 후의 장난감의 속도 $v(t)$가 $v(t) = -20t + a$이다. 장난감의 전원을 켠 지 2분 후에 장난감이 운동 방향을 바꿀 때, 지면으로부터의 높이는? (단, a는 상수, $0 \leq t \leq 4$)

① 20 cm   ② 40 cm   ③ 60 cm
④ 80 cm   ⑤ 100 cm

17 원점을 출발하여 수직선 위를 움직이는 점 P의 시각 t에서의 속도 $v(t)$가 $v(t) = 2t - 4$이다. 출발한 후 시각 $t = 3$까지 점 P가 움직인 거리는?

① 5   ② 10   ③ 15
④ 20   ⑤ 25

정답과 풀이

● **핵심 체크** |

01-1 4	**01**-2 0	**02**-1 1	**02**-2 4
03-1 3	**03**-2 ③	**04**-1 ④	**04**-2 ②

01-1 답| 4

$$\lim_{x \to 0+} f(x) + \lim_{x \to 2-} f(x) = 1 + 3 = 4$$

> 🧑 **선배의 한마디**
>
> **함수의 좌극한과 우극한**
> ① 함수의 좌극한: 함수 $f(x)$에서 $x \to a-$일 때
> $f(x)$의 값이 일정한 값 α에 한없이 가까워지면
> α를 $x=a$에서의 함수 $f(x)$의 좌극한이라 한다.
>   즉 $\lim_{x \to a-} f(x) = \alpha$ 또는 $x \to a-$일 때 $f(x) \to \alpha$
> ② 함수의 우극한: 함수 $f(x)$에서 $x \to a+$일 때
> $f(x)$의 값이 일정한 값 β에 한없이 가까워지면
> β를 $x=a$에서의 함수 $f(x)$의 우극한이라 한다.
>   즉 $\lim_{x \to a+} f(x) = \beta$ 또는 $x \to a+$일 때 $f(x) \to \beta$

01-2 답| 0

$$\lim_{x \to 0-} f(x) + \lim_{x \to 1+} f(x) = 1 + (-1) = 0$$

02-1 답| 1

$$\lim_{x \to 0} f(x) \times \lim_{x \to 2+} f(x) = 1 \times 1 = 1$$

> 🧑 **선배의 한마디**
>
> **함수의 수렴**
> 함수 $f(x)$에서 $x=a$에서의 좌극한과 우극한이 모
> 두 존재하고 그 값이 α로 같으면 함수 $f(x)$는 $x=a$
> 에서 α로 수렴한다고 한다. 또 그 역도 성립한다. 즉
> $$\lim_{x \to a-} f(x) = \lim_{x \to a+} f(x) = \alpha \iff \lim_{x \to a} f(x) = \alpha$$

02-2 답| 4

주어진 그래프에서
$$\lim_{x \to 1-} f(x) \neq \lim_{x \to 1+} f(x)$$
$$\lim_{x \to 3-} f(x) \neq \lim_{x \to 3+} f(x)$$
따라서 상수 a의 값은 1, 3이므로 그 합은
$$1 + 3 = 4$$

03-1 답| 3

$$\lim_{x \to 1}(x^2 - 2x) + \lim_{x \to 1}(x+3)$$
$$= \lim_{x \to 1}\{x^2 - 2x + (x+3)\}$$
$$= \lim_{x \to 1}(x^2 - x + 3)$$
$$= 1 - 1 + 3 = 3$$

03-2 답| ③

$$\lim_{x \to 2}(x^2 + 2) = \lim_{x \to 2} x^2 + \lim_{x \to 2} 2 = 4 + 2 = 6$$

04-1 답| ④

$$\lim_{x \to 0} \frac{x^2 + 7x}{x} = \lim_{x \to 0} \frac{x(x+7)}{x}$$
$$= \lim_{x \to 0}(x+7) = 7$$

> 🧑 **선배의 한마디**
>
> $\dfrac{0}{0}$ **꼴의 함수의 극한**
>
> $\lim_{x \to a} f(x) = 0$, $\lim_{x \to a} g(x) = 0$일 때, $\lim_{x \to a} \dfrac{f(x)}{g(x)}$의
> 값은
> ① 분모 또는 분자를 인수분해한 후 약분하여 구한
>   다.
> ② 무리식이 있을 때는 근호가 있는 부분을 유리화
>   하여 구한다.

04-2 답 | ②

$$\lim_{x \to \infty} \frac{2x^2+1}{x^2} = \lim_{x \to \infty} \left(2 + \frac{1}{x^2}\right) = 2 + 0 = 2$$

> 쌍둥이 문제
>
> $\displaystyle\lim_{x \to \infty} \frac{3x+5}{x-2}$ 의 값을 구하시오.
>
> { 풀이 }
>
> $$\lim_{x \to \infty} \frac{3x+5}{x-2} = \lim_{x \to \infty} \frac{3+\dfrac{5}{x}}{1-\dfrac{2}{x}}$$
> $$= \frac{3+0}{1-0} = 3$$
>
> {답} 3

> ● 기초력 **집중드릴**　　　본문 12~15쪽
>
> | 01 ④ | 02 ① | 03 3 | 04 ③ |
> |---|---|---|---|
> | 05 현정 | 06 ③ | 07 노란색 | 08 ⑤ |
> | 09 ③ | 10 ③ | 11 ⑤ | 12 3 |

01 답 | ④

$$\lim_{x \to 1}(x^2+5x+3) = \lim_{x \to 1}x^2 + 5\lim_{x \to 1}x + \lim_{x \to 1}3$$
$$= 1 + 5 + 3$$
$$= 9$$

02 답 | ①

$$\lim_{x \to 2}(x^2+ax+5) = \lim_{x \to 2}x^2 + a\lim_{x \to 2}x + \lim_{x \to 2}5$$
$$= 4 + 2a + 5 = 3$$

이므로 $2a = -6$

$\therefore a = -3$

---

03 답 | 3

$$\lim_{x \to \infty} \frac{3x+5}{x+3} = \lim_{x \to \infty} \frac{3+\dfrac{5}{x}}{1+\dfrac{3}{x}} = \frac{3+0}{1+0} = 3$$

> ── 다른 풀이 ──
>
> $$\lim_{x \to \infty} \frac{3x+5}{x+3} = \lim_{x \to \infty} \left(\frac{-4}{x+3} + 3\right) = 0 + 3 = 3$$

> 🎓 선배의 한마디
>
> $\frac{\infty}{\infty}$ 꼴의 함수의 극한
>
> $\displaystyle\lim_{x \to \infty} f(x) = \infty$, $\displaystyle\lim_{x \to \infty} g(x) = \infty$일 때,
>
> ① $\displaystyle\lim_{x \to \infty} \frac{f(x)}{g(x)}$ 의 값은 분모의 최고차항으로 분자와 분모를 나누어 구한다.
>
> ② $f(x) - g(x)$가 무리식이면 $\displaystyle\lim_{x \to \infty}\{f(x)-g(x)\}$의 값은 근호가 있는 부분을 유리화하여 주어진 식을 변형한 다음 구한다.

04 답 | ③

$$\lim_{x \to 2} \frac{(x+3)(x-2)}{x-2} = \lim_{x \to 2}(x+3) = 2 + 3 = 5$$

> 쌍둥이 문제
>
> $\displaystyle\lim_{x \to -1} \frac{(x-3)(x+1)}{(x+1)(x+2)}$ 의 값을 구하시오.
>
> { 풀이 }
>
> $$\lim_{x \to -1} \frac{(x-3)(x+1)}{(x+1)(x+2)} = \lim_{x \to -1} \frac{x-3}{x+2} = \frac{-1-3}{-1+2}$$
> $$= -4$$
>
> {답} -4

05 답 | 현정

$\displaystyle\lim_{x \to 1+} f(x) = -1$이므로 옳지 않은 내용이 적힌 카드를 들고 있는 학생은 현정이다.

06 답| ③

주어진 그래프에서

$$\lim_{x \to -1-} f(x) \neq \lim_{x \to -1+} f(x)$$

$$\lim_{x \to 0-} f(x) \neq \lim_{x \to 0+} f(x)$$

$$\lim_{x \to 1-} f(x) \neq \lim_{x \to 1+} f(x)$$

따라서 상수 a의 값은 -1, 0, 1로 그 개수는 3이다.

07 답| 노란색

$$\lim_{x \to 1} \frac{x-1}{\sqrt{x}-1} = \lim_{x \to 1} \frac{(x-1)(\sqrt{x}+1)}{(\sqrt{x}-1)(\sqrt{x}+1)}$$

$$= \lim_{x \to 1} \frac{(x-1)(\sqrt{x}+1)}{x-1}$$

$$= \lim_{x \to 1} (\sqrt{x}+1)$$

$$= 1+1$$

$$= 2$$

따라서 기훈이는 노란색 풍선을 터뜨려야 한다.

08 답| ⑤

$$\lim_{x \to \infty} \frac{ax^2+5}{x^2+2} = \lim_{x \to \infty} \frac{a+\dfrac{5}{x^2}}{1+\dfrac{2}{x^2}} = \frac{a+0}{1+0} = a$$

$$\therefore a = 3$$

09 답| ③

$$\lim_{x \to 2} (x^2-1)f(x) = \lim_{x \to 2} (x^2-1) \lim_{x \to 2} f(x)$$

$$= (4-1) \cdot 1$$

$$= 3$$

10 답| ③

$h(x) = 2f(x) + g(x)$로 놓으면

$g(x) = h(x) - 2f(x)$이고 $\lim\limits_{x \to 2} h(x) = 5$이다.

$$\therefore \lim_{x \to 2} g(x) = \lim_{x \to 2} \{h(x)-2f(x)\}$$

$$= \lim_{x \to 2} h(x) - 2\lim_{x \to 2} f(x)$$

$$= 5 - 2 \cdot 1$$

$$= 3$$

> **선배의 한마디**
>
> **함수의 극한의 성질**
>
> $\lim\limits_{x \to a} f(x) = \alpha$, $\lim\limits_{x \to a} g(x) = \beta$ (α, β는 실수)일 때
>
> ① $\lim\limits_{x \to a} \{cf(x)\} = c\lim\limits_{x \to a} f(x) = c\alpha$ (단, c는 상수)
>
> ② $\lim\limits_{x \to a} \{f(x)+g(x)\} = \lim\limits_{x \to a} f(x) + \lim\limits_{x \to a} g(x)$
> $\qquad\qquad\qquad\qquad = \alpha + \beta$
>
> ③ $\lim\limits_{x \to a} \{f(x)-g(x)\} = \lim\limits_{x \to a} f(x) - \lim\limits_{x \to a} g(x)$
> $\qquad\qquad\qquad\qquad = \alpha - \beta$
>
> ④ $\lim\limits_{x \to a} \{f(x)g(x)\} = \lim\limits_{x \to a} f(x) \lim\limits_{x \to a} g(x) = \alpha\beta$
>
> ⑤ $\lim\limits_{x \to a} \dfrac{f(x)}{g(x)} = \dfrac{\lim\limits_{x \to a} f(x)}{\lim\limits_{x \to a} g(x)} = \dfrac{\alpha}{\beta}$ (단, $\beta \neq 0$)

11 답| ⑤

$h(x) = 2f(x) + 5g(x)$로 놓으면

$g(x) = \dfrac{h(x)-2f(x)}{5}$이고 $\lim\limits_{x \to 2} h(x) = 1$이다.

$$\therefore \lim_{x \to 2} g(x) = \lim_{x \to 2} \frac{h(x)-2f(x)}{5}$$

$$= \frac{\lim\limits_{x \to 2} h(x) - 2\lim\limits_{x \to 2} f(x)}{5}$$

$$= \frac{1-2 \cdot 3}{5} = -1$$

$$\therefore \lim_{x \to 2} \{f(x)-2g(x)\} = \lim_{x \to 2} f(x) - 2\lim_{x \to 2} g(x)$$

$$= 3 - 2 \cdot (-1)$$

$$= 5$$

12 답| 3

주어진 부등식의 각 변을 x^2으로 나누면

$$\frac{3x^2-1}{x^2} < \frac{f(x)}{x^2} < \frac{3x^2+2}{x^2}$$

이때

$$\lim_{x \to \infty} \frac{3x^2-1}{x^2} = \lim_{x \to \infty} \left(3 - \frac{1}{x^2}\right) = 3,$$

$$\lim_{x \to \infty} \frac{3x^2+2}{x^2} = \lim_{x \to \infty} \left(3 + \frac{2}{x^2}\right) = 3$$

이므로 $\displaystyle\lim_{x \to \infty} \frac{f(x)}{x^2} = 3$

> **🎓 선배의 한마디**
>
> **함수의 극한의 대소 관계**
> 두 함수 $f(x), g(x)$에 대하여
> $$\lim_{x \to a} f(x) = \alpha, \ \lim_{x \to a} g(x) = \beta \ (\alpha, \beta \text{는 실수})$$
> 일 때, a에 가까운 모든 실수 x에 대하여
> ① $f(x) \leq g(x)$이면 $\alpha \leq \beta$
> ② 함수 $h(x)$에 대하여 $f(x) \leq h(x) \leq g(x)$이고
> $\alpha = \beta$이면 $\displaystyle\lim_{x \to a} h(x) = \alpha$

본문 16~25쪽

> ● **핵심 체크** 본문 18~21쪽
>
> | | | | |
> |---|---|---|---|
> | **01**-1 ④ | **01**-2 ① | **02**-1 6 | **02**-2 2 |
> | **03**-1 ⑤ | **03**-2 5 | **04**-1 ④ | **04**-2 4 |

01-1 답| ④

함수 $f(x)$가 $x=2$에서 연속이므로

$$\lim_{x \to 2-} f(x) = \lim_{x \to 2+} f(x) = f(2)$$

즉 $\displaystyle\lim_{x \to 2-} (2x+3) = \lim_{x \to 2+} (-2x+a) = f(2)$

이므로 $a-4=7$

$\therefore a=11$

> **Lecture** 함수가 연속일 조건
>
> 두 함수 $g(x), h(x)$가 연속함수일 때,
> 함수 $f(x) = \begin{cases} g(x) & (x \geq a) \\ h(x) & (x < a) \end{cases}$ 가 모든 실수 x에서
> 연속이려면
> $$\Rightarrow \lim_{x \to a-} h(x) = \lim_{x \to a+} g(x) = f(a)$$

01-2 답| ①

함수 $f(x)$가 $x=0$에서 연속이므로

$$\lim_{x \to 0} f(x) = f(0)$$

즉 $\displaystyle\lim_{x \to 0} (2x+1) = a$이므로 $a=1$

02-1 답| 6

함수 $f(x)$가 실수 전체의 집합에서 연속이므로
$x=1$에서 연속이다.

즉 $\displaystyle\lim_{x \to 1-} f(x) = \lim_{x \to 1+} f(x) = f(1)$이므로

$$\lim_{x \to 1-} (ax+1) = \lim_{x \to 1+} (-3x+b) = f(1)$$

따라서 $a+1=-3+b=2$이므로 $a=1$, $b=5$
$\therefore a+b=1+5=6$

> 😎 **선배의 한마디**
>
> **연속함수**
> 함수 $f(x)$가 어떤 구간에 속하는 모든 점에서 연속일 때, 함수 $f(x)$는 그 열린구간에서 연속이라 한다. 또 어떤 열린구간에서 연속인 함수를 그 열린구간에서의 연속함수라 한다.

02-2 답| 2

함수 $f(x)$가 실수 전체의 집합에서 연속이므로 $x=2$에서 연속이다.
즉 $\lim\limits_{x \to 2} f(x)=f(2)$이므로 $\lim\limits_{x \to 2}(ax+2)=6$
$2a+2=6$ $\therefore a=2$

03-1 답| ⑤

$x \neq 1$일 때,
$$f(x)=\frac{x^2-1}{x-1}=\frac{(x-1)(x+1)}{x-1}=x+1$$
함수 $f(x)$는 실수 전체의 집합에서 연속이므로 $x=1$에서 연속이다.
$$\therefore f(1)=\lim_{x \to 1} f(x)=\lim_{x \to 1}(x+1)=2$$

03-2 답| 5

다항함수는 실수 전체의 집합에서 연속이므로
$$f(1)=\lim_{x \to 1-} f(x)=2$$
$$f(3)=\lim_{x \to 3+} f(x)=3$$
$$\therefore f(1)+f(3)=2+3=5$$

04-1 답| ④

$f(x)=x^3+x^2+2x-7$로 놓으면 함수 $f(x)$는 모든 실수 x에서 연속이다. 이때
$f(-2)=-15<0$, $f(-1)=-9<0$,
$f(0)=-7<0$, $f(1)=-3<0$,
$f(2)=9>0$, $f(3)=35>0$
이므로 $f(1)f(2)<0$
따라서 방정식 $f(x)=0$은 사잇값의 정리에 의하여 열린구간 $(1, 2)$에서 적어도 하나의 실근을 갖는다.

> 😎 **선배의 한마디**
>
> **사잇값의 정리**
> 함수 $f(x)$가 닫힌구간 $[a, b]$에서 연속이고 $f(a) \neq f(b)$이면 $f(a)$와 $f(b)$ 사이의 임의의 실수 k에 대하여 $f(c)=k$인 c가 열린구간 (a, b)에 적어도 하나 존재한다.
>
>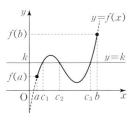

04-2 답| 4

$f(-2)f(-1)=-6<0$,
$f(-1)f(0)=-3\sqrt{2}<0$,
$f(0)f(1)=-\sqrt{2}<0$,
$f(1)f(2)=-3<0$
이므로 사잇값의 정리에 의하여 방정식 $f(x)=0$의 실근이 열린구간 $(-2, -1)$, $(-1, 0)$, $(0, 1)$, $(1, 2)$에 각각 적어도 하나씩 존재한다.
따라서 방정식 $f(x)=0$은 열린구간 $(-2, 2)$에서 적어도 4개의 실근을 갖는다.
$\therefore k=4$

● 기초력 집중드릴

01 ②	**02** ①	**03** ③	**04** ②
05 ⑤	**06** -1	**07** ④	
08 다영, 영철, 은지		**09** 9	**10** 4
11 ⑤	**12** 8		

01 답| ②

함수 $f(x)$가 $x=1$에서 연속이므로

$\lim\limits_{x \to 1} f(x) = f(1)$

즉 $\lim\limits_{x \to 1} (2x-3) = a$이므로 $a=-1$

02 답| ①

함수 $f(x)$가 $x=2$에서 연속이므로

$\lim\limits_{x \to 2-} f(x) = \lim\limits_{x \to 2+} f(x) = f(2)$

즉 $\lim\limits_{x \to 2-} (2x-3) = \lim\limits_{x \to 2+} (x^2+a) = f(2)$

이므로 $1=a+4$ ∴ $a=-3$

03 답| ③

함수 $f(x)$는 실수 전체의 집합에서 연속이므로

$x=1$에서 연속이다.

즉 $\lim\limits_{x \to 1-} f(x) = \lim\limits_{x \to 1+} f(x) = f(1)$이므로

$\lim\limits_{x \to 1-} (-3x+1) = \lim\limits_{x \to 1+} (x^2 - ax + 2) = f(1)$

따라서 $-2 = 3-a$이므로 $a=5$

04 답| ②

함수 $f(x)$는 실수 전체의 집합에서 연속이므로

$x=-2$에서 연속이다.

즉 $\lim\limits_{x \to -2} f(x) = f(-2)$이므로

$a = \lim\limits_{x \to -2} \dfrac{x^2+x-2}{x+2}$

$= \lim\limits_{x \to -2} \dfrac{(x-1)(x+2)}{x+2}$

$= \lim\limits_{x \to -2} (x-1) = -3$

05 답| ⑤

함수 $f(x)$가 실수 전체의 집합에서 연속이므로

$x=1$에서 연속이다.

즉 $\lim\limits_{x \to 1-} f(x) = \lim\limits_{x \to 1+} f(x) = f(1)$이므로

$\lim\limits_{x \to 1-} (x^2+ax+1) = \lim\limits_{x \to 1+} (-x+b) = f(1)$

따라서 $a+2 = -1+b = 3$이므로 $a=1$, $b=4$

∴ $a+b = 1+4 = 5$

06 답| -1

$f(x)g(x) = \begin{cases} (x+1)(x+a) & (x<1) \\ x+a & (x \geq 1) \end{cases}$ 이므로 함수

$f(x)g(x)$가 실수 전체의 집합에서 연속이려면

$x=1$에서 연속이어야 한다. 즉

$\lim\limits_{x \to 1-} f(x)g(x) = \lim\limits_{x \to 1+} f(x)g(x) = f(1)g(1)$

$\lim\limits_{x \to 1-} (x+1)(x+a) = \lim\limits_{x \to 1+} (x+a) = f(1)g(1)$

$2(1+a) = 1+a$, $1+a = 0$ ∴ $a=-1$

07 답| ④

$x \neq 1$일 때, $f(x) = \dfrac{x^2-x}{x-1} = \dfrac{x(x-1)}{x-1} = x$

함수 $f(x)$는 실수 전체의 집합에서 연속이므로

$x=1$에서 연속이다.

∴ $f(1) = \lim\limits_{x \to 1} f(x) = \lim\limits_{x \to 1} x = 1$

08 답| 다영, 영철, 은지

[다영] $f(-1)g(-1)=-1\times1$
$$=-1$$

[영철] $\lim\limits_{x\to1-}f(x)=0$, $\lim\limits_{x\to1-}g(x)=-1$이므로

$$\lim_{x\to1-}f(x)g(x)=\lim_{x\to1-}f(x)\lim_{x\to1-}g(x)$$
$$=0\times(-1)$$
$$=0$$

[은지] $\lim\limits_{x\to0+}f(x)=-1$, $\lim\limits_{x\to0+}g(x)=0$이므로

$$\lim_{x\to0+}f(x)g(x)=-1\times0=0 \qquad \cdots\cdots \text{㉠}$$

$\lim\limits_{x\to0-}f(x)=0$, $\lim\limits_{x\to0-}g(x)=0$이므로

$$\lim_{x\to0-}f(x)g(x)=0\times0=0 \qquad \cdots\cdots \text{㉡}$$

$$f(0)g(0)=-1\times0=0 \qquad \cdots\cdots \text{㉢}$$

㉠, ㉡, ㉢에서 $\lim\limits_{x\to0}f(x)g(x)=f(0)g(0)$이

므로 함수 $f(x)g(x)$는 $x=0$에서 연속이다.

따라서 옳은 내용을 말하고 있는 학생은 다영, 영철, 은지이다.

> **선배의 한마디**
>
> **함수의 연속**
> 함수 $f(x)$가 실수 a에 대하여 다음 조건을 모두 만족
> 시킬 때, 함수 $f(x)$는 $x=a$에서 연속이라 한다.
> ① 함수 $f(x)$는 $x=a$에서 정의되어 있다.
> ② 극한값 $\lim\limits_{x\to a}f(x)$가 존재한다.
> ③ $\lim\limits_{x\to a}f(x)=f(a)$

09 답| 9

함수 $f(x)$는 연속함수이므로
$$\lim_{x\to2}f(x)=f(2)=3$$
$$\therefore \lim_{x\to2}(x^2-x+1)f(x)$$
$$=\lim_{x\to2}(x^2-x+1)\lim_{x\to2}f(x)$$
$$=(4-2+1)\times3$$
$$=9$$

10 답| 4

함수 $f(x)$는 연속함수이므로 $x=1$에서 연속이다.
즉 $\lim\limits_{x\to1-}f(x)=\lim\limits_{x\to1+}f(x)=f(1)$이므로
$$a+2=4-a=f(1)$$
따라서 $a=1$, $f(1)=3$이므로
$$a+f(1)=1+3=4$$

11 답| ⑤

방정식 $f(x)=0$이 열린구간 $(0, 1)$에서 적어도 하나의 실근을 가지려면 사잇값의 정리에 의하여
$f(0)f(1)<0$이어야 하므로
$$(k+2)(k-4)<0$$
$$\therefore -2<k<4$$
따라서 정수 k는 -1, 0, 1, 2, 3으로 그 개수는 5이다.

> **선배의 한마디**
>
> **구간**
> 두 실수 a, b $(a<b)$에 대하여 집합
> $$\{x\,|\,a\le x\le b\},$$
> $$\{x\,|\,a<x<b\},$$
> $$\{x\,|\,a\le x<b\},$$
> $$\{x\,|\,a<x\le b\}$$
> 를 구간이라 하고, 각 구간을 기호와 수직선으로 나타내면 다음과 같다.
>
> | 구간 | 기호 | 수직선 |
> |---|---|---|
> | $\{x\,|\,a\le x\le b\}$ | $[a, b]$ | |
> | $\{x\,|\,a<x<b\}$ | (a, b) | |
> | $\{x\,|\,a\le x<b\}$ | $[a, b)$ | |
> | $\{x\,|\,a<x\le b\}$ | $(a, b]$ | |
>
> 이때 $[a, b]$를 닫힌구간, (a, b)를 열린구간이라 하고, $[a, b)$, $(a, b]$를 반닫힌 구간 또는 반열린 구간이라 한다.

12 답 | 8

$f(x)=2x$에서 $f(x)-2x=0$

$g(x)=f(x)-2x$로 놓으면 $g(x)$는 연속함수이다.

이때 방정식 $g(x)=0$이 열린구간 $(2, 5)$에서 적어도 하나의 실근을 가지려면 사잇값의 정리에 의하여 $g(2)g(5)<0$이어야 한다.

이때 $g(2)=f(2)-4=(a-3)-4=a-7$,

$g(5)=f(5)-10=(a+1)-10=a-9$이므로

$g(2)g(5)<0$에서 $(a-7)(a-9)<0$

$\therefore 7<a<9$

따라서 구하는 정수 a의 값은 8이다.

쌍둥이 문제

연속함수 $f(x)$에 대하여 $f(-1)=a-2$, $f(2)=a+2$이다. 방정식 $f(x)=3x$가 열린구간 $(-1, 2)$에서 적어도 하나의 실근을 갖도록 하는 정수 a의 개수를 구하시오.

{ 풀이 }

$f(x)=3x$에서 $f(x)-3x=0$

$g(x)=f(x)-3x$로 놓으면 $g(x)$는 연속함수이다.

이때 방정식 $g(x)=0$이 열린구간 $(-1, 2)$에서 적어도 하나의 실근을 가지려면 사잇값의 정리에 의하여 $g(-1)g(2)<0$이어야 한다.

이때 $g(-1)=f(-1)+3=(a-2)+3=a+1$,

$g(2)=f(2)-6=(a+2)-6=a-4$이므로

$g(-1)g(2)<0$에서 $(a+1)(a-4)<0$

$\therefore -1<a<4$

따라서 정수 a는 $0, 1, 2, 3$으로 그 개수는 4이다.

{답} 4

● **핵심 체크**   본문 28~31쪽

01-1 ①	**01**-2 3	**02**-1 8	**02**-2 1
03-1 ③	**03**-2 ③	**04**-1 10	**04**-2 ⑤

01-1 답 | ①

$$\lim_{h \to 0} \frac{f(3+h)-f(3)}{5h}$$

$$=\frac{1}{5}\lim_{h \to 0}\frac{f(3+h)-f(3)}{h}$$

$$=\frac{1}{5}f'(3)=\frac{1}{5} \cdot 20=4$$

01-2 답 | 3

$$\lim_{h \to 0}\frac{f(2+h)-f(2)}{h}=f'(2)=3$$

★ 선배의 한마디

미분계수

함수 $y=f(x)$의 $x=a$에서의 순간변화율 또는 미분계수는

$$f'(a)=\lim_{\Delta x \to 0}\frac{f(a+\Delta x)-f(a)}{\Delta x}$$

$$=\lim_{x \to a}\frac{f(x)-f(a)}{x-a}$$

02-1 답 | 8

함수 $f(x)$가 실수 전체의 집합에서 미분가능하므로 $x=2$에서 미분가능하다.

즉 $x=2$에서 연속이므로

$$\lim_{x \to 2-}f(x)=\lim_{x \to 2+}f(x)=f(2)$$

$$\lim_{x \to 2-}(x^2+ax)=\lim_{x \to 2+}(2x+b)=f(2)$$

$$4+2a=4+b \qquad \therefore b=2a \qquad \cdots\cdots \text{㉠}$$

함수 $f(x)$가 $x=2$에서 미분가능하므로

$$\lim_{x \to 2-} \frac{f(x)-f(2)}{x-2} = \lim_{x \to 2-} \frac{x^2+ax-(4+b)}{x-2}$$

$$= \lim_{x \to 2-} \frac{x^2+ax-(4+2a)}{x-2}$$

$$(\because \bigcirc)$$

$$= \lim_{x \to 2-} \frac{(x-2)(x+2+a)}{x-2}$$

$$= \lim_{x \to 2-} (x+2+a)$$

$$= 4+a$$

$$\lim_{x \to 2+} \frac{f(x)-f(2)}{x-2} = \lim_{x \to 2+} \frac{2x+b-(4+b)}{x-2}$$

$$= \lim_{x \to 2+} \frac{2(x-2)}{x-2}$$

$$= 2$$

즉 $4+a=2$이므로 $a=-2$

$\bigcirc$에서 $b=-4$이므로

$$ab=-2 \cdot (-4)=8$$

선배의 한마디

미분가능성과 연속성

① 함수 $y=f(x)$의 $x=a$에서의 미분계수 $f'(a)$가 존재하면 함수 $f(x)$는 $x=a$에서 미분가능하다고 한다.

② 함수 $y=f(x)$가 $x=a$에서 미분가능하면 $f(x)$는 $x=a$에서 연속이다.

02-2 답| 1

함수 $f(x)$가 실수 전체의 집합에서 미분가능하므로 $x=2$에서 미분가능하다.

즉 $x=2$에서 연속이므로

$$\lim_{x \to 2-} f(x) = \lim_{x \to 2+} f(x) = f(2)$$

$$\lim_{x \to 2-} (x^2+ax+b) = \lim_{x \to 2+} 0 = f(2)$$

$$4+2a+b=0$$

$$\therefore b=-2a-4 \quad \cdots\cdots \bigcirc$$

함수 $f(x)$가 $x=2$에서 미분가능하므로

$$\lim_{x \to 2-} \frac{f(x)-f(2)}{x-2} = \lim_{x \to 2-} \frac{x^2+ax+b}{x-2}$$

$$= \lim_{x \to 2-} \frac{x^2+ax-2a-4}{x-2}$$

$$(\because \bigcirc)$$

$$= \lim_{x \to 2-} \frac{(x-2)(x+2+a)}{x-2}$$

$$= \lim_{x \to 2-} (x+2+a)=4+a$$

$$\lim_{x \to 2+} \frac{f(x)-f(2)}{x-2} = \lim_{x \to 2+} \frac{0-0}{x-2}=0$$

즉 $4+a=0$이므로 $a=-4$

$\bigcirc$에서 $b=4$이므로 $f(x)=x^2-4x+4 \ (x<2)$

$$\therefore f(1)=1-4+4=1$$

03-1 답| ③

$$\lim_{x \to 2} \frac{f(x)-f(2)}{x-2}=f'(2)=1$$에서

$$8-4+a=1$$

$$\therefore a=-3$$

03-2 답| ③

$f'(x)=x^3-ax+1$, $f'(2)=3$에서

$$8-2a+1=3, \ 2a=6 \quad \therefore a=3$$

04-1 답| 10

$f(x)=(2x-1)(x^2+3)$에서

$$f'(x)=(2x-1)'(x^2+3)+(2x-1)(x^2+3)'$$

$$=2(x^2+3)+(2x-1) \cdot 2x$$

$$=6x^2-2x+6$$

$$\therefore f'(1)=6-2+6=10$$

04-2 답| ⑤

$f(x) = x^3 - 7x + 6$에서

$f'(x) = 3x^2 - 7$

$\therefore f'(2) = 12 - 7 = 5$

---

02 답| ⑤

$f(x) = (2x+3)(x^2-1)$에서

$f'(x) = (2x+3)'(x^2-1) + (2x+3)(x^2-1)'$

$\qquad = 2(x^2-1) + (2x+3) \cdot 2x$

$\qquad = 6x^2 + 6x - 2$

$\therefore f'(1) = 6 + 6 - 2 = 10$

---

03 답| ④

$f(x) = x^5 + ax - 7$에서 $f'(x) = 5x^4 + a$

이때 $f'(1) = 3$이므로 $5 + a = 3$　　$\therefore a = -2$

쌍둥이 문제

함수 $f(x) = 3x^3 - ax + 1$에 대하여 $f'(0) = 3$일 때, 상수 a의 값을 구하시오.

{ 풀이 }

$f(x) = 3x^3 - ax + 1$에서 $f'(x) = 9x^2 - a$

이때 $f'(0) = 3$이므로 $-a = 3$　　$\therefore a = -3$

{답} -3

● 기초력 집중드릴　　　　본문 32~35쪽

01 30	**02** ⑤	**03** ④	**04** ④
05 ②	**06** ④	**07** ①	**08** ③
09 ①	**10** ①	**11** 선호, 다온	**12** 32

01 답| 30

$f(x) = x^3 + 5x + 1$에서 $f'(x) = 3x^2 + 5$

$f'(0) = 5$, $f'(1) = 8$, $f'(2) = 17$이므로

$f'(0) + f'(1) + f'(2) = 5 + 8 + 17$

$\qquad\qquad\qquad\qquad = 30$

---

04 답| ④

$f(x) = (x-2)(x^2-4x+a)$에서

$f'(x) = (x-2)'(x^2-4x+a)$

$\qquad\qquad\qquad + (x-2)(x^2-4x+a)'$

$\qquad = x^2 - 4x + a + (x-2)(2x-4)$

$\qquad = 3x^2 - 12x + a + 8$

이때 $f'(1) = 6$이므로 $3 - 12 + a + 8 = 6$

$\therefore a = 7$

05 답 | ②

$$\lim_{x \to 2} \frac{f(x)-f(2)}{2x-4} = \frac{1}{2} \lim_{x \to 2} \frac{f(x)-f(2)}{x-2}$$
$$= \frac{f'(2)}{2} = \frac{6}{2} = 3$$

06 답 | ④

$\displaystyle\lim_{x \to 2} \frac{f(x)+5}{x-2} = 3$에서 $\displaystyle\lim_{x \to 2}(x-2)=0$이므로

$\displaystyle\lim_{x \to 2}\{f(x)+5\}=0$ ∴ $f(2)=-5$

즉 $\displaystyle\lim_{x \to 2} \frac{f(x)+5}{x-2} = \lim_{x \to 2} \frac{f(x)-f(2)}{x-2} = 3$에서

$f'(2)=3$

∴ $f(2)+f'(2)=-5+3=-2$

07 답 | ①

$\displaystyle\lim_{h \to 0} \frac{f(1+h)-4}{2h} = 1$에서 $\displaystyle\lim_{h \to 0}2h=0$이므로

$\displaystyle\lim_{h \to 0}\{f(1+h)-4\}=0$ ∴ $f(1)=4$

$$\lim_{h \to 0} \frac{f(1+h)-4}{2h} = \frac{1}{2}\lim_{h \to 0}\frac{f(1+h)-f(1)}{h}$$
$$= \frac{f'(1)}{2}$$

즉 $\dfrac{f'(1)}{2}=1$이므로 $f'(1)=2$

∴ $f(1)+f'(1)=4+2=6$

> **선배의 한마디**
>
> **미분계수**
>
> 함수 $y=f(x)$의 $x=a$에서의 순간변화율 또는 미분계수는
>
> $$f'(a) = \lim_{\Delta x \to 0} \frac{f(a+\Delta x)-f(a)}{\Delta x}$$
> $$= \lim_{x \to a} \frac{f(x)-f(a)}{x-a}$$

08 답 | ③

$$\lim_{h \to 0} \frac{f(2+2h)-f(2)}{h} = 2\lim_{h \to 0} \frac{f(2+2h)-f(2)}{2h}$$
$$= 2f'(2)$$

이때 $f(x)=x^3-2x^2+5$에서 $f'(x)=3x^2-4x$이므로 $f'(2)=12-8=4$

따라서 구하는 값은

$2f'(2)=2 \cdot 4=8$

09 답 | ①

$f(x)=x^2+4x-2$에서 $f(1)=3$이므로

$$\lim_{h \to 0} \frac{f(1+2h)-3}{h} = 2\lim_{h \to 0} \frac{f(1+2h)-f(1)}{2h}$$
$$= 2f'(1)$$

이때 $f'(x)=2x+4$이므로

$f'(1)=2+4=6$

따라서 구하는 값은

$2f'(1)=2 \cdot 6=12$

10 답 | ①

$\displaystyle\lim_{x \to 1} \frac{f(x)}{x-1} = 5$에서 $\displaystyle\lim_{x \to 1}(x-1)=0$이므로

$\displaystyle\lim_{x \to 1}f(x)=0$ ∴ $f(1)=0$

따라서 주어진 식은

$$\lim_{x \to 1} \frac{f(x)}{x-1} = \lim_{x \to 1} \frac{f(x)-f(1)}{x-1} = f'(1)=5$$

이때 $f(x)=2x^2+ax+b$에서 $f'(x)=4x+a$

$f(1)=0, f'(1)=5$에서

$2+a+b=0, 4+a=5$

∴ $a=1, b=-3$

따라서 $f(x)=2x^2+x-3$이므로

$f(2)=8+2-3=7$

11 답| 선호, 다온

$\displaystyle \lim_{x \to 1} \frac{f(x)-2}{x-1}=12$에서 $\displaystyle \lim_{x \to 1}(x-1)=0$이므로

$\displaystyle \lim_{x \to 1}\{f(x)-2\}=0$　　∴ $f(1)=2$

∴ $\displaystyle \lim_{x \to 1}\frac{f(x)-2}{x-1}=\lim_{x \to 1}\frac{f(x)-f(1)}{x-1}$

$\qquad\qquad\qquad\qquad =f'(1)=12$

이때

$g'(x)=(x^2+1)'f(x)+(x^2+1)f'(x)$

$\qquad =2xf(x)+(x^2+1)f'(x)$

이므로

$g'(1)=2f(1)+2f'(1)=2\cdot2+2\cdot12=28$

따라서 계산 결과가 옳지 않은 학생은 선호, 다온이다.

> **선배의 한마디**
>
> **함수의 곱의 미분법**
> 두 함수 $f(x)$, $g(x)$가 미분가능할 때
> $\{f(x)g(x)\}'=f'(x)g(x)+f(x)g'(x)$

12 답| 32

함수 $f(x)$가 실수 전체의 집합에서 미분가능하므로 $x=2$에서 미분가능하다.

즉 $x=2$에서 연속이므로

$\displaystyle \lim_{x \to 2-}f(x)=\lim_{x \to 2+}f(x)=f(2)$

$\displaystyle \lim_{x \to 2-}(2x^2+ax)=\lim_{x \to 2+}(4x+b)=f(2)$

$8+2a=8+b$　　∴ $b=2a$　　……… ㉠

함수 $f(x)$가 $x=2$에서 미분가능하므로

$\displaystyle \lim_{x \to 2-}\frac{f(x)-f(2)}{x-2}$

$\displaystyle =\lim_{x \to 2-}\frac{2x^2+ax-(8+b)}{x-2}$

$\displaystyle =\lim_{x \to 2-}\frac{2x^2+ax-(8+2a)}{x-2}$ (∵ ㉠)

$\displaystyle =\lim_{x \to 2-}\frac{(x-2)(2x+a+4)}{x-2}$

$\displaystyle =\lim_{x \to 2-}(2x+a+4)=a+8$

$\displaystyle \lim_{x \to 2+}\frac{f(x)-f(2)}{x-2}=\lim_{x \to 2+}\frac{4x+b-(8+b)}{x-2}$

$\qquad\qquad\qquad\qquad =\lim_{x \to 2+}\frac{4(x-2)}{x-2}=4$

즉 $a+8=4$이므로 $a=-4$

㉠에서 $b=-8$이므로

$ab=-4\cdot(-8)=32$

> **선배의 한마디**
>
> **미분가능성과 연속성**
> ① 함수 $y=f(x)$의 $x=a$에서의 미분계수 $f'(a)$가 존재하면 함수 $f(x)$는 $x=a$에서 미분가능하다고 한다.
> ② 함수 $y=f(x)$가 $x=a$에서 미분가능하면 $f(x)$는 $x=a$에서 연속이다.

● 핵심 체크

01-1 ②	**01**-2 ④	**02**-1 ③	**02**-2 -1
03-1 ①	**03**-2 ⑤	**04**-1 성주	**04**-2 ⑤

01-1 답| ②

$f(x)=x^3+2x-2$로 놓으면 $f'(x)=3x^2+2$

$f'(1)=3+2=5$이므로 점 $(1, 1)$에서의 접선의 방정식은

$y=5(x-1)+1$ $\therefore y=5x-4$

따라서 접선과 y축의 교점의 좌표는 $(0, -4)$이므로 $a=-4$

> **★ 🙂 선배의 한마디**
>
> **곡선 위의 한 점에서의 접선의 방정식**
> 곡선 $y=f(x)$ 위의 점 $(a, f(a))$에서의 접선의 방정식은
> $y=f'(a)(x-a)+f(a)$

01-2 답| ④

$f(x)=2x^3-5x+1$로 놓으면 $f'(x)=6x^2-5$

$f'(-1)=6-5=1$이므로 점 $(-1, 4)$에서의 접선의 기울기는 1이다.

02-1 답| ③

함수 $f(x)=x^2+x$는 닫힌구간 $[-1, 3]$에서 연속이고 열린구간 $(-1, 3)$에서 미분가능하므로 평균값 정리에 의하여

$\dfrac{f(3)-f(-1)}{3-(-1)}=\dfrac{12-0}{4}=3=f'(c)$

인 c가 열린구간 $(-1, 3)$에 적어도 하나 존재한다. 이때 $f'(x)=2x+1$이므로

$f'(c)=2c+1=3$ $\therefore c=1$

> **★ 🙂 선배의 한마디**
>
> **평균값 정리**
> 함수 $f(x)$가 닫힌구간 $[a, b]$에서 연속이고 열린구간 (a, b)에서 미분가능하면
> $\dfrac{f(b)-f(a)}{b-a}=f'(c)$
> 인 c가 열린구간 (a, b)에 적어도 하나 존재한다.
>
>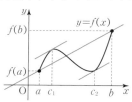

02-2 답| -1

함수 $f(x)=3x^2$은 닫힌구간 $[-2, 0]$에서 연속이고 열린구간 $(-2, 0)$에서 미분가능하므로 평균값 정리에 의하여

$\dfrac{f(0)-f(-2)}{0-(-2)}=\dfrac{0-12}{2}=-6=f'(c)$

인 c가 열린구간 $(-2, 0)$에 적어도 하나 존재한다. 이때 $f'(x)=6x$이므로

$f'(c)=6c=-6$ $\therefore c=-1$

03-1 답| ①

함수 $f(x)=|x^2-1|$의 그래프는 오른쪽 그림과 같다. 따라서 함수 $f(x)$는 $x=0$에서 극댓값 1을 가지므로 $a=0$

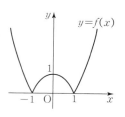

03-2 답| ⑤

함수 $f(x)=|x^2-2x|$의 그래프는 오른쪽 그림과 같다. 따라서 함수 $f(x)$는 $x=0$ 또는 $x=2$에서 극솟값 0을 가지므로 $a+b=2$

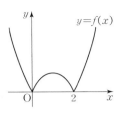

04-1 답| 성주

$f(x)=x^3+6x^2+9x+a$에서

$f'(x)=3x^2+12x+9$
$\qquad =3(x+1)(x+3)$

$f'(x)=0$에서 $x=-3$ 또는 $x=-1$

x	$\cdots$	-3	$\cdots$	-1	$\cdots$
$f'(x)$	$+$	0	$-$	0	$+$
$f(x)$	↗	a	↘	$a-4$	↗

즉 함수 $f(x)$는 $x=-1$에서 극솟값 $a-4$를 가지므로 $a-4=-6$

$\therefore a=-2$

따라서 a의 값을 들고 있는 학생은 성주이다.

> 🧑 **선배의 한마디**
>
> **함수의 극값의 판정**
> 함수 $f(x)$가 미분가능하고 $f'(a)=0$일 때, $x=a$의 좌우에서 $f'(x)$의 부호가
> ① 양에서 음으로 바뀌면 함수 $f(x)$는 $x=a$에서 극대이고, 극댓값 $f(a)$를 갖는다.
> ② 음에서 양으로 바뀌면 함수 $f(x)$는 $x=a$에서 극소이고, 극솟값 $f(a)$를 갖는다.

04-2 답| ⑤

$f(x)=x^3-3x^2+5$에서

$f'(x)=3x^2-6x=3x(x-2)$

$f'(x)=0$에서 $x=0$ 또는 $x=2$

x	$\cdots$	0	$\cdots$	2	$\cdots$
$f'(x)$	$+$	0	$-$	0	$+$
$f(x)$	↗	5	↘	1	↗

즉 함수 $f(x)$는 $x=0$에서 극댓값 5를 가지므로

$a=0, b=5$

$\therefore a+b=0+5=5$

● **기초력 집중드릴**　　　　본문 42~45쪽

01 ③	**02** 9	**03** 3	**04** ⑤
05 3	**06** ②	**07** ①	**08** ④
09 ④	**10** ②	**11** ③	**12** 12

01 답| ③

$f(x)=2x^2$으로 놓으면 $f'(x)=4x$

점 (a, b)에서의 접선의 기울기는

$f'(a)=4a=4$　　$\therefore a=1$

점 (a, b)는 곡선 $y=f(x)$ 위의 점이므로

$b=f(a)=f(1)=2$

$\therefore a+b=1+2=3$

02 답| 9

$f(x)=x^3+ax^2+b$로 놓으면 $f'(x)=3x^2+2ax$

점 $(2, 4)$는 곡선 $y=f(x)$ 위의 점이므로

$f(2)=4, 8+4a+b=4$

$\therefore 4a+b=-4$　　$\cdots\cdots$ ㉠

또 점 $(2, 4)$에서의 접선의 기울기가 16이므로

$f'(2)=16, 12+4a=16$　　$\therefore a=1$

㉠에서 $b=-8$이므로

$a-b=1-(-8)=9$

03 답| 3

$f(x)=x^2-3x+2$로 놓으면 $f'(x)=2x-3$

$f'(1)=2-3=-1$이므로 점 $(1, 0)$에서의 접선의
방정식은

$y=-(x-1)$ $\therefore y=-x+1$

따라서 직선 $y=-x+1$이 지나는 사탕은 점
$(-2, 3)$, $(0, 1)$, $(1, 0)$ 위의 사탕이므로 그 개수
는 3이다.

04 답| ⑤

$f(x)=x^3+ax+2$에서 $f'(x)=3x^2+a$

점 $(1, f(1))$에서의 접선의 기울기가 2이므로

$f'(1)=2$, $3+a=2$ $\therefore a=-1$

즉 $f(x)=x^3-x+2$에서 $f(1)=1-1+2=2$이므
로 점 $(1, 2)$에서의 접선의 방정식은

$y=2(x-1)+2$ $\therefore y=2x$

따라서 $b=0$이므로

$a+b=-1+0=-1$

> 🧑 **선배의 한마디**
>
> **곡선 위의 한 점에서의 접선의 방정식**
> 곡선 $y=f(x)$ 위의 점 $(a, f(a))$에서의 접선의 방정
> 식은
> $y=f'(a)(x-a)+f(a)$

05 답| 3

곡선 $y=f(x)$ 위의 점 $(2, 1)$에서의 접선의 방정식
이 $y=2x-3$이므로

$f'(2)=2$, $f(2)=1$

$g(x)=(x-1)f(x)$로 놓으면

$g'(x)=(x-1)'f(x)+(x-1)f'(x)$
$\qquad\;\;=f(x)+(x-1)f'(x)$

따라서 구하는 접선의 기울기는

$g'(2)=f(2)+f'(2)$
$\qquad\;\;=1+2=3$

> **Lecture** 함수의 곱의 미분법
>
> 두 함수 $f(x), g(x)$가 미분가능할 때
> $\{f(x)g(x)\}'=f'(x)g(x)+f(x)g'(x)$

06 답| ②

함수 $f(x)=x^2+4x$는 닫힌구간 $[-4, 2]$에서 연
속이고 열린구간 $(-4, 2)$에서 미분가능하므로 평
균값 정리에 의하여

$$\dfrac{f(2)-f(-4)}{2-(-4)}=\dfrac{12-0}{6}=2=f'(c)$$

인 c가 열린구간 $(-4, 2)$에 적어도 하나 존재한다.
따라서 구하는 접선의 기울기는

$f'(c)=2$

> **쌍둥이 문제**
>
> 함수 $f(x)=x^2+3x+3$에 대하여 닫힌구간
> $[0, 2]$에서 평균값 정리를 만족시키는 c의 값은?
>
> ① 0   ② $\dfrac{1}{2}$ ③ 1
>
> ④ $\dfrac{3}{2}$ ⑤ 2
>
> { 풀이 }
> 함수 $f(x)=x^2+3x+3$은 닫힌구간 $[0, 2]$에서 연속
> 이고 열린구간 $(0, 2)$에서 미분가능하므로 평균값 정리
> 에 의하여
> $$\dfrac{f(2)-f(0)}{2-0}=\dfrac{13-3}{2}=5=f'(c)$$
> 인 c가 열린구간 $(0, 2)$에 적어도 하나 존재한다.
> 이때 $f'(x)=2x+3$이므로
> $f'(c)=2c+3=5$
> $\therefore c=1$
>
> { 답 } ③

07 답| ①

함수 $f(x)=x^2-2x$는 닫힌구간 $[-3, 1]$에서 연속이고 열린구간 $(-3, 1)$에서 미분가능하므로 평균값 정리에 의하여

$$\frac{f(1)-f(-3)}{1-(-3)}=\frac{-1-15}{4}=-4=f'(c)$$

인 c가 열린구간 $(-3, 1)$에 적어도 하나 존재한다.

이때 $f'(x)=2x-2$이므로

$$f'(c)=2c-2=-4 \qquad \therefore c=-1$$

$$\begin{aligned}\therefore f(c)+f'(c)&=f(-1)+(-4)\\&=3+(-4)\\&=-1\end{aligned}$$

08 답| ④

함수 $f(x)=|x-2|+1$의 그래프는 오른쪽 그림과 같다.

따라서 함수 $f(x)$는 $x=2$에서 극솟값 1을 가지므로

$a=2, b=1$

$\therefore a+b=2+1=3$

> **선배의 한마디**
>
> **함수의 극대와 극소**
>
> 함수 $f(x)$가 실수 a를 포함하는 어떤 열린구간에 속하는 모든 x에 대하여
> ① $f(x)\leq f(a)$이면 함수 $f(x)$는 $x=a$에서 극대이고, 극댓값 $f(a)$를 갖는다.
> ② $f(x)\geq f(a)$이면 함수 $f(x)$는 $x=a$에서 극소이고, 극솟값 $f(a)$를 갖는다.
> 이때 극댓값과 극솟값을 통틀어 극값이라 한다.

09 답| ④

$f(x)=\dfrac{1}{3}x^3-x^2-3x$에서

$f'(x)=x^2-2x-3=(x+1)(x-3)$

$f'(x)=0$에서 $x=-1$ 또는 $x=3$

x	$\cdots$	-1	$\cdots$	3	$\cdots$
$f'(x)$	$+$	0	$-$	0	$+$
$f(x)$	$\nearrow$	$\dfrac{5}{3}$	$\searrow$	-9	$\nearrow$

즉 함수 $f(x)$는 $x=3$에서 극솟값 -9를 가지므로

$a=3, b=-9$

$\therefore a+b=3+(-9)=-6$

10 답| ②

$f(x)=2x^3-6x^2+3$에서

$f'(x)=6x^2-12x=6x(x-2)$

$f'(x)=0$에서 $x=0$ 또는 $x=2$

x	$\cdots$	0	$\cdots$	2	$\cdots$
$f'(x)$	$+$	0	$-$	0	$+$
$f(x)$	$\nearrow$	3	$\searrow$	-5	$\nearrow$

즉 함수 $f(x)$는 $x=0$에서 극댓값 3, $x=2$에서 극솟값 -5를 가지므로

$A(0,3), B(2,-5)$ 또는 $A(2,-5), B(0,3)$

따라서 구하는 직선 AB의 기울기는

$$\frac{-5-3}{2-0}=-4$$

> **Lecture** **직선의 기울기**
>
> 두 점 $(x_1, y_1), (x_2, y_2)$를 지나는 직선의 기울기는
>
> $\dfrac{y_2-y_1}{x_2-x_1}$ (단, $x_1 \neq x_2$)

11 답| ③

$f(x)=x^3-6x^2+9x+a$에서

$$\begin{aligned}f'(x)&=3x^2-12x+9\\&=3(x-1)(x-3)\end{aligned}$$

$f'(x)=0$에서 $x=1$ 또는 $x=3$

x	$\cdots$	1	$\cdots$	3	$\cdots$
$f'(x)$	+	0	$-$	0	+
$f(x)$	↗	$a+4$	↘	a	↗

즉 함수 $f(x)$는 $x=1$에서 극댓값 $a+4$, $x=3$에서 극솟값 a를 가지므로

$a=-2$

따라서 구하는 극댓값은

$a+4=-2+4=2$

12 답| 12

$f(x)=x^3+ax^2+bx+1$에서

$f'(x)=3x^2+2ax+b$

이때 함수 $f(x)$는 $x=-3$에서 극댓값 28을 가지므로 $f'(-3)=0$, $f(-3)=28$

$27-6a+b=0$, $-27+9a-3b+1=28$

위의 두 식을 연립하여 풀면

$a=3$, $b=-9$

$\therefore a-b=3-(-9)=12$

> **선배의 한마디**
>
> **극값과 미분계수**
> 미분가능한 함수 $f(x)$가 $x=a$에서 극값을 가지면
> $f'(a)=0$

● **핵심 체크**　　　　　　　　　　본문 48~51쪽

01-1 4	**01-2** 0	**02-1** ③	**02-2** ①
03-1 ②	**03-2** 0	**04-1** 3	**04-2** ④

01-1 답| 4

$f(x)=-x^3+3x+2$에서

$f'(x)=-3x^2+3$

　　　$=-3(x+1)(x-1)$

$f'(x)=0$에서 $x=-1$ 또는 $x=1$

x	-1	$\cdots$	1	$\cdots$	2
$f'(x)$	0	+	0	$-$	
$f(x)$	0	↗	4	↘	0

즉 $-1\le x\le2$일 때, 함수 $f(x)$는 $x=1$에서 최댓값 4를 갖는다.

> **선배의 한마디**
>
> **함수의 최댓값과 최솟값**
> 함수 $f(x)$가 닫힌구간 $[a, b]$에서 연속이고, 이 닫힌구간에서 극값을 가지면
> 　　$f(x)$의 극값, $f(a)$, $f(b)$
> 중에서 가장 큰 값이 $f(x)$의 최댓값이고, 가장 작은 값이 $f(x)$의 최솟값이다.

01-2 답| 0

함수 $f(x)=|x-1|-1$
의 그래프는 오른쪽 그림
과 같다.
즉 $1\le x\le3$일 때,

$f(x)=|x-1|-1$

　　　$=(x-1)-1$

　　　$=x-2$

이므로 함수 $f(x)$는 증가함수이다.

따라서 함수 $f(x)$는 $x=3$에서 최댓값 1, $x=1$에서 최솟값 -1을 가지므로

$M=1$, $m=-1$

$\therefore M+m=1+(-1)=0$

02-1 답 | ③

$x^3-6x^2-a=0$에서 $x^3-6x^2=a$

방정식 $x^3-6x^2=a$가 서로 다른 세 실근을 가지려면 함수 $y=x^3-6x^2$의 그래프와 직선 $y=a$가 서로 다른 세 점에서 만나야 한다.

$f(x)=x^3-6x^2$으로 놓으면

$f'(x)=3x^2-12x$

$\qquad =3x(x-4)$

$f'(x)=0$에서 $x=0$ 또는 $x=4$

x	$\cdots$	0	$\cdots$	4	$\cdots$
$f'(x)$	$+$	0	$-$	0	$+$
$f(x)$	↗	0	↘	-32	↗

즉 함수 $y=f(x)$의 그래프는 오른쪽 그림과 같으므로 $y=f(x)$의 그래프와 직선 $y=a$가 서로 다른 세 점에서 만나려면

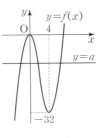

$-32<a<0$

따라서 구하는 정수 a의 최솟값은 -31이다.

Lecture 함수의 그래프

일반적으로 미분가능한 함수 $y=f(x)$의 그래프는 다음 순서로 그린다.

① 도함수 $f'(x)$를 구한다.

② $f'(x)=0$인 x의 값을 구하여 함수 $f(x)$의 증가와 감소를 표로 나타내고, 극값을 구한다.

③ 함수 $y=f(x)$의 그래프와 x축 또는 y축의 교점의 좌표를 구한다.

④ 함수 $y=f(x)$의 그래프의 개형을 그린다.

02-2 답 | ①

$x^3-3x-a=0$에서 $x^3-3x=a$

방정식 $x^3-3x=a$가 서로 다른 두 실근을 가지려면 함수 $y=x^3-3x$의 그래프와 직선 $y=a$가 서로 다른 두 점에서 만나야 한다.

$f(x)=x^3-3x$로 놓으면

$f'(x)=3x^2-3=3(x+1)(x-1)$

$f'(x)=0$에서 $x=-1$ 또는 $x=1$

x	$\cdots$	-1	$\cdots$	1	$\cdots$
$f'(x)$	$+$	0	$-$	0	$+$
$f(x)$	↗	2	↘	-2	↗

즉 함수 $y=f(x)$의 그래프는 오른쪽 그림과 같으므로 $y=f(x)$의 그래프와 직선 $y=a$가 서로 다른 두 점에서 만나려면

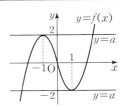

$a=-2$ 또는 $a=2$

따라서 구하는 모든 상수 a의 값의 곱은

$-2 \cdot 2 = -4$

선배의 한마디

방정식 $f(x)=0$의 실근의 개수

방정식 $f(x)=0$의 실근은 함수 $y=f(x)$의 그래프와 x축의 교점의 x좌표와 같다. 따라서 방정식 $f(x)=0$의 서로 다른 실근의 개수는 함수 $y=f(x)$의 그래프와 x축의 교점의 개수와 같다.

03-1 답 | ②

$f(x)=4x^3-12x+a$로 놓으면

$f'(x)=12x^2-12=12(x+1)(x-1)$

$f'(x)=0$에서 $x=1$ $(\because 0 \le x \le 2)$

x	0	$\cdots$	1	$\cdots$	2
$f'(x)$		$-$	0	$+$	
$f(x)$	a	↘	$a-8$	↗	$a+8$

즉 $0 \leq x \leq 2$일 때, 함수 $f(x)$는 $x=1$에서 최솟값 $a-8$을 가지므로

$a-8 \geq 0$ ∴ $a \geq 8$

따라서 실수 a의 최솟값은 8이다.

> **선배의 한마디**
>
> **부등식 $f(x) \geq 0$의 증명**
> 어떤 구간에서 부등식 $f(x) \geq 0$이 성립하는 것을 증명할 때는 그 구간에서 (함수 $f(x)$의 최솟값)≥ 0임을 보인다.

03-2 답 | 0

$f(x)=x^2+2x+a$로 놓으면

$f'(x)=2x+2=2(x+1)$

이때 $x \geq 0$에서 $f'(x)>0$이므로 함수 $f(x)$는 증가함수이다. 즉 $x \geq 0$일 때, 함수 $f(x)$는 $x=0$에서 최솟값 a를 가지므로 $a \geq 0$

따라서 실수 a의 최솟값은 0이다.

04-1 답 | 3

시각 t에서 점 P의 속도를 v라 하면

$v=\dfrac{dx}{dt}=6t^2-2kt$

운동 방향을 바꿀 때의 속도는 0이므로

$6-2k=0$ ∴ $k=3$

04-2 답 | ④

시각 t에서 점 P의 속도, 가속도를 각각 v, a라 하면

$v=\dfrac{dx}{dt}=3t^2-3t-3$, $a=\dfrac{dv}{dt}=6t-3$

이때 속도가 3인 순간의 시각 t는

$3t^2-3t-3=3$, $3(t+1)(t-2)=0$

∴ $t=2$ ($\because t \geq 0$)

따라서 시각 $t=2$에서 점 P의 가속도는

$12-3=9$

> **기초력 집중드릴** 본문 52~55쪽
>
> | | | | |
> |---|---|---|---|
> | **01** 14 | **02** ④ | **03** ⑤ | **04** ② |
> | **05** 0 | **06** ③ | **07** 신영 | **08** ② |
> | **09** ① | **10** ② | **11** ⑤ | **12** 9 |

01 답 | 14

$f(x)=-x^3+3x^2-6$에서

$f'(x)=-3x^2+6x=-3x(x-2)$

$f'(x)=0$에서 $x=0$ 또는 $x=2$

x	-2	$\cdots$	0	$\cdots$	2	$\cdots$	3
$f'(x)$		$-$	0	$+$	0	$-$	
$f(x)$	14	↘	-6	↗	-2	↘	-6

즉 $-2 \leq x \leq 3$일 때, 함수 $f(x)$는 $x=-2$에서 최댓값 14를 갖는다.

따라서 화면에 나타나는 값은 14이다.

02 답 | ④

$f(x)=x^3-3x^2+a$에서

$f'(x)=3x^2-6x=3x(x-2)$

$f'(x)=0$에서 $x=2$ ($\because 1 \leq x \leq 4$)

x	1	$\cdots$	2	$\cdots$	4
$f'(x)$		$-$	0	$+$	
$f(x)$	$a-2$	↘	$a-4$	↗	$a+16$

즉 $1 \leq x \leq 4$일 때, 함수 $f(x)$는 $x=2$에서 최솟값 $a-4$를 가지므로 $a-4=0$ ∴ $a=4$

03 답| ⑤

$f(x)=-2x^3+3x^2+a$에서

$f'(x)=-6x^2+6x=-6x(x-1)$

$f'(x)=0$에서 $x=0$ 또는 $x=1$

x	0	$\cdots$	1	$\cdots$	2
$f'(x)$	0	$+$	0	$-$	
$f(x)$	a	$\nearrow$	$a+1$	$\searrow$	$a-4$

즉 $0\leq x\leq 2$일 때, 함수 $f(x)$는 $x=1$에서 최댓값 $a+1$, $x=2$에서 최솟값 $a-4$를 가지므로

$a+1=4$ $\therefore a=3$

따라서 구하는 최솟값은

$a-4=3-4=-1$

04 답| ②

$x^3-3x+a=0$에서 $-x^3+3x=a$

방정식 $-x^3+3x=a$가 서로 다른 세 실근을 가지려면 함수 $y=-x^3+3x$의 그래프와 직선 $y=a$가 서로 다른 세 점에서 만나야 한다.

$f(x)=-x^3+3x$로 놓으면

$f'(x)=-3x^2+3$

$\qquad =-3(x+1)(x-1)$

$f'(x)=0$에서 $x=-1$ 또는 $x=1$

x	$\cdots$	-1	$\cdots$	1	$\cdots$
$f'(x)$	$-$	0	$+$	0	$-$
$f(x)$	$\searrow$	-2	$\nearrow$	2	$\searrow$

즉 함수 $y=f(x)$의 그래프는 오른쪽 그림과 같으므로 $y=f(x)$의 그래프와 직선 $y=a$가 서로 다른 세 점에서 만나려면

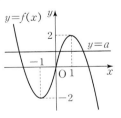

$-2<a<2$

따라서 구하는 정수 a는 -1, 0, 1로 그 개수는 3이다.

05 답| 0

주어진 곡선과 직선이 서로 다른 두 점에서 만나려면 방정식 $x^3-3x^2+x=x+a$, 즉 $x^3-3x^2=a$가 서로 다른 두 실근을 가져야 한다.

$f(x)=x^3-3x^2$으로 놓으면

$f'(x)=3x^2-6x=3x(x-2)$

$f'(x)=0$에서 $x=0$ 또는 $x=2$

x	$\cdots$	0	$\cdots$	2	$\cdots$
$f'(x)$	$+$	0	$-$	0	$+$
$f(x)$	$\nearrow$	0	$\searrow$	-4	$\nearrow$

즉 함수 $y=f(x)$의 그래프는 오른쪽 그림과 같으므로 $y=f(x)$의 그래프와 직선 $y=a$가 서로 다른 두 점에서 만나려면

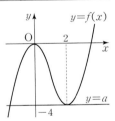

$a=-4$ 또는 $a=0$

따라서 구하는 a의 최댓값은 0이다.

06 답| ③

주어진 곡선과 직선이 서로 다른 세 점에서 만나려면 방정식 $2x^3-5x=x+a$, 즉 $2x^3-6x=a$가 서로 다른 세 실근을 가져야 한다.

$f(x)=2x^3-6x$로 놓으면

$f'(x)=6x^2-6=6(x+1)(x-1)$

$f'(x)=0$에서 $x=-1$ 또는 $x=1$

x	$\cdots$	-1	$\cdots$	1	$\cdots$
$f'(x)$	$+$	0	$-$	0	$+$
$f(x)$	$\nearrow$	4	$\searrow$	-4	$\nearrow$

즉 함수 $y=f(x)$의 그래프는
오른쪽 그림과 같으므로
$y=f(x)$의 그래프와 직선
$y=a$가 서로 다른 세 점에서 만
나려면 $-4<a<4$
따라서 $\alpha=-4$, $\beta=4$이므로
$\alpha+\beta=-4+4=0$

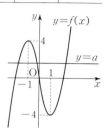

07 답| 신영

$f(x)>g(x)$에서 $f(x)-g(x)>0$

$h(x)=f(x)-g(x)=(x^3+k)-3x^2$

$\qquad =x^3-3x^2+k$

로 놓으면

$h'(x)=3x^2-6x=3x(x-2)$

$h'(x)=0$에서 $x=2$ ($\because x>0$)

x	0	$\cdots$	2	$\cdots$
$h'(x)$		$-$	0	$+$
$h(x)$		$\searrow$	$k-4$	$\nearrow$

즉 $x>0$일 때, 함수 $h(x)$는 $x=2$에서 최솟값 $k-4$
를 가지므로

$k-4>0$ $\qquad \therefore k>4$

따라서 카드를 잘못 고른 학생은 신영이다.

> 🎓 **선배의 한마디**
>
> **부등식 $f(x) \geq g(x)$의 증명**
> 어떤 구간에서 부등식 $f(x) \geq g(x)$가 성립하는 것을
> 증명할 때는 $h(x)=f(x)-g(x)$로 놓고 그 구간에서
> (함수 $h(x)$의 최솟값)≥0임을 보인다.

08 답| ②

$4x^3 \geq 6x^2-k$에서 $4x^3-6x^2+k \geq 0$

$f(x)=4x^3-6x^2+k$로 놓으면

$f'(x)=12x^2-12x=12x(x-1)$

$f'(x)=0$에서 $x=0$ 또는 $x=1$

x	0	$\cdots$	1	$\cdots$
$f'(x)$	0	$-$	0	$+$
$f(x)$	k	$\searrow$	$k-2$	$\nearrow$

즉 $x \geq 0$일 때, 함수 $f(x)$는 $x=1$에서 최솟값 $k-2$
를 가지므로 $k-2 \geq 0$ $\qquad \therefore k \geq 2$
따라서 구하는 k의 최솟값은 2이다.

09 답| ①

시각 t에서 점 P의 속도를 v라 하면

$v=\dfrac{dx}{dt}=-2t+5$

따라서 시각 $t=2$에서 점 P의 속도는

$-4+5=1$

10 답| ②

출발한 지 t시간 후 드론의 속도, 가속도를 각각 v, a
라 하면

$v=\dfrac{dx}{dt}=t^2+5$, $a=\dfrac{dv}{dt}=2t$

따라서 출발한 지 1시간 후 드론의 속도 a와 가속도
β는 $a=1+5=6$, $\beta=2$

$\therefore a+\beta=6+2=8$

> 🎓 **선배의 한마디**
>
> **속도와 가속도**
> 수직선 위를 움직이는 점 P의 시각 t에서의 위치 x가
> $x=f(t)$일 때, 시각 t에서의 점 P의 속도 v와 가속도
> a는
> ① $v=\dfrac{dx}{dt}=f'(t)$ $\qquad$ ② $a=\dfrac{dv}{dt}$

11 답 | ⑤

시각 t에서 점 P의 속도, 가속도를 각각 v, a라 하면
$$v=\frac{dx}{dt}=3t^2-6t+3, \; a=\frac{dv}{dt}=6t-6$$
이때 속도가 3인 순간의 시각 t는
$$3t^2-6t+3=3, \; 3t(t-2)=0$$
$$\therefore t=2 \; (\because t>0)$$
따라서 시각 $t=2$에서 점 P의 가속도는
$$12-6=6$$

12 답 | 9

시각 t에서 점 P의 속도를 v라 하면
$$v=\frac{dx}{dt}=3t^2-6t$$
점 P가 원점을 지날 때의 위치는 0이므로 $x=0$에서
$$t^3-3t^2=0, \; t^2(t-3)=0$$
$$\therefore t=3 \; (\because t>0)$$
따라서 시각 $t=3$에서 점 P의 속도는
$$27-18=9$$

본문 56~65쪽

● **핵심 체크**   본문 58~61쪽

01-1 ⑤	**01**-2 12	**02**-1 ⑤	**02**-2 71
03-1 ④	**03**-2 기찬	**04**-1 6	**04**-2 ③

01-1 답 | ⑤

$$f(x)=\int(2x+a)dx=x^2+ax+C$$
이때 $f(1)-f(0)=4$이므로
$$(1+a+C)-C=1+a=4 \qquad \therefore a=3$$

01-2 답 | 12

$$f(x)=\int(2x+1)dx=x^2+x+C$$
이때 $f(0)=0$이므로 $C=0$
따라서 $f(x)=x^2+x$이므로
$$f(3)=9+3=12$$

> 🧑 **선배의 한마디**
>
> **함수 $y=x^n$과 함수 $y=1$의 부정적분**
> $$\text{(단, } C \text{는 적분상수)}$$
> ① 함수 $y=x^n$ (n은 양의 정수)의 부정적분은
> $$\int x^n dx=\frac{1}{n+1}x^{n+1}+C$$
> ② 함수 $y=1$의 부정적분은 $\int 1dx=x+C$

02-1 답 | ⑤

$$f(x)=\int f'(x)dx=\int(-x^3+2)dx$$
$$=-\frac{1}{4}x^4+2x+C$$
이때 $f(2)=10$이므로 $-4+4+C=10$
$$\therefore C=10$$

따라서 $f(x) = -\dfrac{1}{4}x^4 + 2x + 10$이므로

$f(0) = 10$

02-2　답| 71

$$f(x) = \int f'(x)dx = \int (2x-3)dx$$
$$= x^2 - 3x + C$$

이때 $f(0) = 1$이므로 $C = 1$

따라서 $f(x) = x^2 - 3x + 1$이므로

$f(10) = 100 - 30 + 1 = 71$

03-1　답| ④

$$\int_0^1 (3x^2 - 4x + 5)dx = \left[x^3 - 2x^2 + 5x\right]_0^1$$
$$= (1 - 2 + 5) - 0 = 4$$

03-2　답| 기찬

현주: $\displaystyle\int_0^3 x^2 dx = \left[\dfrac{1}{3}x^3\right]_0^3 = 9 - 0 = 9$

기찬: $\displaystyle\int_{-1}^1 9 dx = \left[9x\right]_{-1}^1 = 9 - (-9) = 18$

지윤: $\displaystyle\int_4^5 2x dx = \left[x^2\right]_4^5 = 25 - 16 = 9$

선우: $\displaystyle\int_0^3 3 dx = \left[3x\right]_0^3 = 9 - 0 = 9$

따라서 값이 나머지 셋과 다른 하나를 들고 있는 학생은 기찬이다.

04-1　답| 6

$$\int_1^3 (-6x+4)dx + \int_1^3 (6x-1)dx$$
$$= \int_1^3 \{(-6x+4) + (6x-1)\}dx$$
$$= \int_1^3 3 dx$$
$$= \left[3x\right]_1^3$$
$$= 6$$

04-2　답| ③

$$\int_0^1 (2x+1)dx + \int_1^2 (2x+1)dx$$
$$+ \int_2^3 (2x+1)dx$$
$$= \int_0^3 (2x+1)dx$$
$$= \left[x^2 + x\right]_0^3$$
$$= 12$$

01 답| ④

$$f(x) = \int (4x-3)dx = 2x^2 - 3x + C$$

이때 $f(0) = 1$이므로 $C = 1$

따라서 $f(x) = 2x^2 - 3x + 1$이므로

$$f(-1) = 2 + 3 + 1 = 6$$

> 🍎 **선배의 한마디**
>
> 함수의 실수배, 합, 차의 부정적분
> 두 함수 $f(x), g(x)$에 대하여
>
> ① $\int kf(x)\,dx = k\int f(x)\,dx$
>
> (단, k는 0이 아닌 상수)
>
> ② $\int \{f(x) + g(x)\}\,dx = \int f(x)\,dx + \int g(x)\,dx$
>
> ③ $\int \{f(x) - g(x)\}\,dx = \int f(x)\,dx - \int g(x)\,dx$

02 답| 9

$$g(x) = \int (3x^2 - 1)dx = x^3 - x + C$$

이때 $g(0) = 3$이므로 $C = 3$

따라서 $g(x) = x^3 - x + 3$이므로

$$g(2) = 8 - 2 + 3 = 9$$

03 답| ②

$$f(x) = \int (2x+a)dx = x^2 + ax + C$$

이때 $f(0) = f(2) = 1$이므로

$$C = 4 + 2a + C = 1$$

$$\therefore C = 1, \ a = -2$$

따라서 $f(x) = x^2 - 2x + 1$이므로

$$f(1) = 1 - 2 + 1 = 0$$

04 답| ④

$$f(x) = \int f'(x)dx = \int (4x^3 + 1)dx$$
$$= x^4 + x + C$$

이때 $f(0) = 1$이므로 $C = 1$

따라서 $f(x) = x^4 + x + 1$이므로

$$f(2) = 16 + 2 + 1 = 19$$

05 답| ③

$$f(x) = \int f'(x)dx = \int (-2x + 3)dx$$
$$= -x^2 + 3x + C$$

함수 $f(x)$의 그래프가 두 점 $(0, 1)$, $(1, a)$를 지나

므로 $f(0) = 1$, $f(1) = a$

즉 $f(0) = 1$에서 $C = 1$

따라서 $f(x) = -x^2 + 3x + 1$이므로

$$a = f(1) = -1 + 3 + 1 = 3$$

06 답| ⑤

$f'(x) = 6x^2 - 2x + 1$이므로

$$f(x) = \int f'(x)dx = \int (6x^2 - 2x + 1)dx$$
$$= 2x^3 - x^2 + x + C$$

이때 $f(0) = 1$이므로 $C = 1$

따라서 $f(x) = 2x^3 - x^2 + x + 1$이므로

$$f(2) = 16 - 4 + 2 + 1 = 15$$

07 답 | 12

$$\lim_{x \to \infty} \frac{3x^2 - x}{x^2} = \lim_{x \to \infty}\left(3 - \frac{1}{x}\right) = 3,$$

$$\int_{-1}^{2}(x^2 + 1)dx = \left[\frac{1}{3}x^3 + x\right]_{-1}^{2} = 6$$

이므로 마주 보는 두 면에 있는 값의 합은

$3 + 6 = 9$

$$\int_{0}^{2}(3x^2 - 2)dx = \left[x^3 - 2x\right]_{0}^{2} = 4$$이므로

$$A + \int_{0}^{2}(3x^2 - 2)dx = 9$$

$A + 4 = 9 \qquad \therefore A = 5$

$$\lim_{x \to 2}(-x^2 + 3x) = -4 + 6 = 2$$이므로

$$B + \lim_{x \to 2}(-x^2 + 3x) = 9$$

$B + 2 = 9 \qquad \therefore B = 7$

$\therefore A + B = 5 + 7 = 12$

08 답 | ④

$$\int_{0}^{1}(6x^2 + a)dx = \left[2x^3 + ax\right]_{0}^{1} = 2 + a$$

즉 $2 + a = 0$이므로 $a = -2$

09 답 | ②

$$\int_{0}^{2}(3x^2 - 2)dx + \int_{2}^{3}(3x^2 - 2)dx$$

$$= \int_{0}^{3}(3x^2 - 2)dx$$

$$= \left[x^3 - 2x\right]_{0}^{3} = 21$$

> **선배의 한마디**
>
> **정적분의 성질**
> 함수 $f(x)$가 세 실수 a, b, c를 포함하는 열린구간에서
> 연속일 때
> $$\int_{a}^{c}f(x)dx + \int_{c}^{b}f(x)dx = \int_{a}^{b}f(x)dx$$

10 답 | 6

$$\int_{0}^{2}(3x^2 - 2x)dx + \int_{0}^{2}(2x - 1)dx$$

$$= \int_{0}^{2}\{(3x^2 - 2x) + (2x - 1)\}dx$$

$$= \int_{0}^{2}(3x^2 - 1)dx$$

$$= \left[x^3 - x\right]_{0}^{2}$$

$$= 6$$

> **쌍둥이 문제**
>
> $$\int_{-1}^{2}(x^3 + 2x^2 - 1)dx + \int_{-1}^{2}(3x^3 - 2x^2 - 2x)dx$$의
> 값을 구하시오.
>
> { 풀이 }
>
> $$\int_{-1}^{2}(x^3 + 2x^2 - 1)dx + \int_{-1}^{2}(3x^3 - 2x^2 - 2x)dx$$
>
> $$= \int_{-1}^{2}\{(x^3 + 2x^2 - 1) + (3x^3 - 2x^2 - 2x)\}dx$$
>
> $$= \int_{-1}^{2}(4x^3 - 2x - 1)dx$$
>
> $$= \left[x^4 - x^2 - x\right]_{-1}^{2}$$
>
> $$= 9$$
>
> {답} 9

11 답 | ①

$$\int_{-2}^{2}(x^3 + 3x^2 - x + a)dx$$

$$= \int_{-2}^{2}(x^3 - x)dx + \int_{-2}^{2}(3x^2 + a)dx$$

$$= 0 + 2\int_{0}^{2}(3x^2 + a)dx$$

$$= 2\left[x^3 + ax\right]_{0}^{2}$$

$$= 2(8 + 2a)$$

즉 $16 + 4a = 8$이므로

$4a = -8 \qquad \therefore a = -2$

선배의 한마디

정적분 $\int_{-a}^{a} x^n dx$의 계산

n이 자연수일 때,

① n이 짝수이면 $\int_{-a}^{a} x^n dx = 2\int_{0}^{a} x^n dx$

② n이 홀수이면 $\int_{-a}^{a} x^n dx = 0$

12 답| ①

$$\int_{0}^{2}\{3x^2+f(x)\}dx=\int_{0}^{2}3x^2dx+\int_{0}^{2}f(x)dx=5$$

$$\therefore \int_{0}^{2}f(x)dx=5-\int_{0}^{2}3x^2dx$$

$$=5-\left[x^3\right]_{0}^{2}$$

$$=5-8$$

$$=-3$$

07

● **핵심 체크**

01-1 -2	**01**-2 경태	**02**-1 ②	**02**-2 ③
03-1 9	**03**-2 ④	**04**-1 ⑤	**04**-2 30

01-1 답| -2

$\int_{2}^{x}f(t)dt=x^2+ax+4$의 양변에 $x=2$를 대입

하면

$0=4+2a+4$ $\qquad \therefore a=-4$

즉 $\int_{2}^{x}f(t)dt=x^2-4x+4$의 양변을 x에 대하

여 미분하면 $f(x)=2x-4$이므로

$f(3)=6-4=2$

$\therefore a+f(3)=-4+2=-2$

선배의 한마디

정적분과 미분의 관계

함수 $f(t)$가 닫힌구간 $[a, b]$에서 연속일 때, 열린

구간 (a, b)에 속하는 임의의 x에 대하여

$$\frac{d}{dx}\int_{a}^{x}f(t)dt=f(x)$$

01-2 답| 경태

$\int_{0}^{x}f(t)dt=x^2-2x$의 양변을 x에 대하여 미분

하면 $f(x)=2x-2$

$\therefore f(2)=4-2=2$

따라서 $f(2)$의 값을 바르게 구한 학생은 경태

이다.

02-1 답| ②

주어진 곡선과 x축의 교점의 x좌표는

$-3x(x-2)=0$에서

$x=0$ 또는 $x=2$

곡선 $y=-3x(x-2)$와 x축으로 둘러싸인 도형은 오른쪽 그림의 색칠한 부분과 같다.

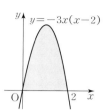

따라서 구하는 넓이는

$$\int_0^2 \{-3x(x-2)\}dx$$

$$=\int_0^2 (-3x^2+6x)dx$$

$$=\Big[-x^3+3x^2\Big]_0^2$$

$$=4$$

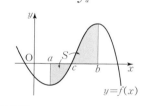

★ 선배의 한마디

곡선과 x축 사이의 넓이

함수 $f(x)$가 닫힌구간 $[a,\ b]$에서 연속일 때, 곡선 $y=f(x)$와 x축 및 두 직선 $x=a$, $x=b$로 둘러싸인 도형의 넓이 S는 $S=\displaystyle\int_a^b |f(x)|dx$

02-2 답| ③

곡선 $y=3x^2$과 x축 및 직선 $x=2$로 둘러싸인 도형은 오른쪽 그림의 색칠한 부분과 같다.

따라서 구하는 넓이는

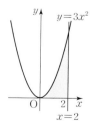

$$\int_0^2 3x^2 dx=\Big[x^3\Big]_0^2$$

$$=8$$

03-1 답| 9

곡선 $y=x^2-2x-1$과 직선 $y=x-1$의 교점의 x좌표는

$x^2-2x-1=x-1$에서

$x(x-3)=0$

$\therefore x=0$ 또는 $x=3$

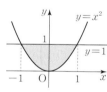

따라서 위의 그림에서 구하는 넓이 S는

$$S=\int_0^3 \{(x-1)-(x^2-2x-1)\}dx$$

$$=\int_0^3 (-x^2+3x)dx$$

$$=\Big[-\frac{1}{3}x^3+\frac{3}{2}x^2\Big]_0^3=\frac{9}{2}$$

$$\therefore 2S=2\cdot\frac{9}{2}=9$$

03-2 답| ④

곡선 $y=x^2$과 직선 $y=1$의 교점의 x좌표는 $x^2=1$에서

$(x+1)(x-1)=0$

$\therefore x=-1$ 또는 $x=1$

따라서 위의 그림에서 구하는 넓이는

$$\int_{-1}^1 (1-x^2)dx=2\int_0^1 (1-x^2)dx$$

$$=2\Big[x-\frac{1}{3}x^3\Big]_0^1$$

$$=2\cdot\frac{2}{3}=\frac{4}{3}$$

04-1 답| ⑤

시각 $t=0$에서 $t=3$까지 점 P의 위치의 변화량은

$$\int_0^3 (-4t+8)dt=\Big[-2t^2+8t\Big]_0^3=6$$

선배의 한마디

점의 위치의 변화량

수직선 위를 움직이는 점 P의 시각 t에서의 속도가 $v(t)$일 때, 시각 $t=a$에서 $t=b$까지 점 P의 위치의 변화량은

$$\int_a^b v(t)dt$$

04-2 답| 30

시각 $t=0$에서 $t=5$까지 점 P의 위치의 변화량은

$$\int_0^5 (2t+1)dt = \left[t^2+t \right]_0^5 = 30$$

기초력 집중드릴　　　　　　　본문 72~75쪽

01 ②	**02** ④	**03** 1	**04** ④
05 ④	**06** ③	**07** ②	**08** ③
09 $\frac{8}{3}$	**10** ①	**11** ②	**12** 10

01 답| ②

$\int_1^x f(t)dt = x^3-2x+1$의 양변을 x에 대하여 미분하면 $f(x)=3x^2-2$

$\therefore f(1)=3-2=1$

02 답| ④

$\int_0^x f(t)dt = x^2+ax$의 양변을 x에 대하여 미분하면 $f(x)=2x+a$

이때 $f(0)=3$이므로 $a=3$

03 답| 1

$\int_{-1}^x f(t)dt = x^2+2x+a$의 양변에 $x=-1$을 대입하면 $0=1-2+a$　　$\therefore a=1$

04 답| ④

$\int_a^x f(t)dt = 2x-6$의 양변에 $x=a$를 대입하면

$0=2a-6$　　$\therefore a=3$

05 답| ④

$\int_0^2 f(t)dt = k$ (k는 상수)로 놓으면 $f(x)=3x+k$ 이므로

$$\int_0^2 f(t)dt = \int_0^2 (3t+k)dt = \left[\frac{3}{2}t^2+kt \right]_0^2$$
$$=6+2k$$

즉 $6+2k=k$이므로 $k=-6$

따라서 $f(x)=3x-6$이므로

$f(5)=15-6=9$

06 답| ③

곡선 $y=3x^2+1$과 x축, y축 및 직선 $x=2$로 둘러싸인 도형은 오른쪽 그림의 색칠한 부분과 같다. 따라서 구하는 넓이는

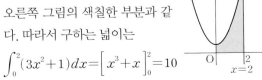

$$\int_0^2 (3x^2+1)dx = \left[x^3+x \right]_0^2 = 10$$

07 답| ②

곡선 $y=x^2-2x$와 x축의 교점의 x좌표는

$x^2-2x=0$에서 $x(x-2)=0$

$\therefore x=0$ 또는 $x=2$

곡선 $y=x^2-2x$와 x축으로 둘
러싸인 도형은 오른쪽 그림의
색칠한 부분과 같다.

따라서 구하는 넓이는

$$\int_0^2 |x^2-2x|\,dx=\int_0^2 (-x^2+2x)\,dx$$
$$=\left[-\frac{1}{3}x^3+x^2\right]_0^2=\frac{4}{3}$$

08 답| ③

곡선 $y=x^2-3$과 직선 $y=1$
의 교점의 x좌표는

$x^2-3=1$에서

$(x+2)(x-2)=0$

$\therefore x=-2$ 또는 $x=2$

따라서 위의 그림에서 구하는 넓이는

$$\int_{-2}^2 \{1-(x^2-3)\}\,dx=\int_{-2}^2 (-x^2+4)\,dx$$
$$=2\int_0^2 (-x^2+4)\,dx$$
$$=2\left[-\frac{1}{3}x^3+4x\right]_0^2$$
$$=2\cdot\frac{16}{3}=\frac{32}{3}$$

09 답| $\dfrac{8}{3}$

두 함수 $y=x^2$, $y=-x^2+2$
의 그래프의 모양대로 그물
을 설치하면 그물로 둘러싸
인 부분은 오른쪽 그림의 색
칠한 부분과 같다.

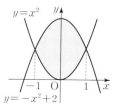

두 곡선의 교점의 x좌표는

$x^2=-x^2+2$에서 $2(x+1)(x-1)=0$

$\therefore x=-1$ 또는 $x=1$

따라서 위의 그림에서 구하는 넓이는

$$\int_{-1}^1 \{(-x^2+2)-x^2\}\,dx=\int_{-1}^1 (-2x^2+2)\,dx$$
$$=2\int_0^1 (-2x^2+2)\,dx$$
$$=2\left[-\frac{2}{3}x^3+2x\right]_0^1$$
$$=2\cdot\frac{4}{3}=\frac{8}{3}$$

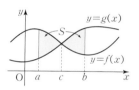

🎓 **선배의 한마디**

두 곡선 사이의 넓이

두 함수 $f(x)$, $g(x)$가 닫힌구간 $[a,\,b]$에서 연속일
때, 두 곡선 $y=f(x)$, $y=g(x)$ 및 두 직선 $x=a$,
$x=b$로 둘러싸인 도형의 넓이 S는

$$S=\int_a^b |f(x)-g(x)|\,dx$$

10 답| ①

시각 $t=3$에서 점 P의 위치는

$$0+\int_0^3 (-4t+5)\,dt=\left[-2t^2+5t\right]_0^3$$
$$=-3$$

11 답| ②

시각 $t=0$에서 점 P의 위치를 a라 하면 시각 $t=3$
에서 점 P의 위치는

$$a+\int_0^3(-2t+7)dt=a+\Big[-t^2+7t\Big]_0^3$$
$$=a+12$$

즉 $a+12=11$이므로 $a=-1$

따라서 시각 $t=0$에서 점 P의 위치는 -1이다.

> **🧑 선배의 한마디**
>
> **점의 위치**
>
> 수직선 위를 움직이는 점 P의 시각 t에서의 속도가 $v(t)$일 때, 시각 $t=a$에서의 위치를 x_0이라 하면 시각 t에서 점 P의 위치 x는
>
> $$x=x_0+\int_a^t v(t)dt$$

12 답 | 10

시각 $t=0$에서 $t=3$까지 장난감 기차가 움직인 거리는

$$\int_0^3|-4t+4|dt=\int_0^1(-4t+4)dt+\int_1^3(4t-4)dt$$
$$=\Big[-2t^2+4t\Big]_0^1+\Big[2t^2-4t\Big]_1^3$$
$$=2+8=10$$

따라서 출발한 지 3분 후까지 장난감 기차가 움직인 거리는 10이다.

> **🧑 선배의 한마디**
>
> **움직인 거리**
>
> 수직선 위를 움직이는 점 P의 시각 t에서의 속도가 $v(t)$일 때, 시각 $t=a$에서 $t=b$까지 점 P가 움직인 거리 s는
>
> $$s=\int_a^b|v(t)|dt$$

> **봉합 모의고사**

8일차 누구나 100점 테스트 1회

1 ③	**2** ⑤	**3** ②	**4** ②	**5** 2
6 4	**7** ②	**8** ⑤	**9** ④	**10** 6

1 답 | ③

$$\lim_{x\to1}(x^2+2x+6)=\lim_{x\to1}x^2+2\lim_{x\to1}x+\lim_{x\to1}6$$
$$=1+2+6=9$$

> **🧑 선배의 한마디**
>
> $\dfrac{0}{0}$ **꼴의 함수의 극한**
>
> $\lim\limits_{x\to a}f(x)=0$, $\lim\limits_{x\to a}g(x)=0$일 때, $\lim\limits_{x\to a}\dfrac{f(x)}{g(x)}$의 값은
>
> ① 분모 또는 분자를 인수분해한 후 약분하여 구한다.
> ② 무리식이 있을 때는 근호가 있는 부분을 유리화하여 구한다.

2 답 | ⑤

$$\lim_{x\to0}\frac{x(x+5)}{x}=\lim_{x\to0}(x+5)=5$$

3 답 | ②

$$\lim_{x\to\infty}\frac{3x+1}{x+1}=\lim_{x\to\infty}\frac{3+\dfrac{1}{x}}{1+\dfrac{1}{x}}=3$$

4 답 | ②

$x\to1-$일 때 함수 $f(x)$의 값이 1에 한없이 가까워지므로 $\lim\limits_{x\to1-}f(x)=1$

5 답| 2

$f(2)=0,\ f(3)=3,\ \lim\limits_{x \to 2+} f(x)=2$

따라서 옳은 내용이 적힌 카드의 개수는 2이다.

6 답| 4

함수 $f(x)$가 실수 전체의 집합에서 연속이므로 $x=1$에서 연속이다.

즉 $\lim\limits_{x \to 1} f(x)=f(1)$이므로

$\lim\limits_{x \to 1} (x+3)=a$ $\quad \therefore a=1+3=4$

> **선배의 한마디**
>
> **함수의 연속**
>
> 함수 $f(x)$가 실수 a에 대하여 다음 조건을 모두 만족시킬 때, 함수 $f(x)$는 $x=a$에서 연속이라 한다.
>
> ① 함수 $f(x)$는 $x=a$에서 정의되어 있다.
>
> ② 극한값 $\lim\limits_{x \to a} f(x)$가 존재한다.
>
> ③ $\lim\limits_{x \to a} f(x)=f(a)$

7 답| ②

$f(x)=x^3$에서 $f'(x)=3x^2$

$\therefore f'(1)=3$

8 답| ⑤

$f(x)=x^2+3x-1$에서 $f'(x)=2x+3$

$\therefore f'(0)=3$

> **선배의 한마디**
>
> **함수의 미분법**
>
> 두 함수 $f(x),\ g(x)$가 미분가능할 때
>
> ① $\{cf(x)\}'=cf'(x)$ (단, c는 상수)
>
> ② $\{f(x)+g(x)\}'=f'(x)+g'(x)$
>
> ③ $\{f(x)-g(x)\}'=f'(x)-g'(x)$

9 답| ④

$\lim\limits_{h \to 0} \dfrac{f(3+h)-f(3)}{h}=f'(3)=4$

> **선배의 한마디**
>
> **미분계수**
>
> 함수 $y=f(x)$의 $x=a$에서의 순간변화율 또는 미분계수는
>
> $$f'(a)=\lim_{\Delta x \to 0} \frac{f(a+\Delta x)-f(a)}{\Delta x}$$
> $$=\lim_{x \to a} \frac{f(x)-f(a)}{x-a}$$

10 답| 6

$\lim\limits_{x \to 2} \dfrac{f(x)-f(2)}{x-2}=f'(2)=6$

따라서 로그인 비밀번호는 6이다.

1 답| ⑤

$f(x)=x^2+3x$로 놓으면 $f'(x)=2x+3$

따라서 점 $(1, 4)$에서의 접선의 기울기는

$f'(1)=2+3=5$

> 👤 **선배의 한마디**
>
> **곡선 위의 한 점에서의 접선의 방정식**
> 곡선 $y=f(x)$ 위의 점 $(a, f(a))$에서의 접선의 방정식은
> $y=f'(a)(x-a)+f(a)$

2 답| ①

$f(x)=2x^2+mx+1$에서 $f'(x)=4x+m$

이때 함수 $f(x)$가 $x=1$에서 극소이므로

$f'(1)=0, 4+m=0$ $\therefore m=-4$

3 답| 2

방정식 $f(x)=0$의 서로 다른 실근의 개수는 함수 $y=f(x)$의 그래프와 x축의 교점의 개수와 같다. 이때 삼차함수 $f(x)$의 그래프가 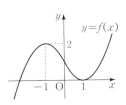 오른쪽 그림과 같고, 함수 $y=f(x)$의 그래프와 x축의 교점의 개수가 2이므로 방정식 $f(x)=0$의 서로 다른 실근의 개수는 2이다.

> 👤 **선배의 한마디**
>
> **방정식 $f(x)=0$의 실근의 개수**
> 방정식 $f(x)=0$의 실근은 함수 $y=f(x)$의 그래프와 x축의 교점의 x좌표와 같다. 따라서 방정식 $f(x)=0$의 서로 다른 실근의 개수는 함수 $y=f(x)$의 그래프와 x축의 교점의 개수와 같다.

4 답| ③

시각 t에서 점 P의 속도를 v라 하면

$$v=\frac{dx}{dt}=-2t+6$$

따라서 시각 $t=2$에서 점 P의 속도는

$-4+6=2$

5 답| ②

$$\begin{aligned}
f(x)&=\int f'(x)dx \\
&=\int (4x+5)dx \\
&=2x^2+5x+C
\end{aligned}$$

이때 $f(0)=0$에서 $C=0$

따라서 $f(x)=2x^2+5x$이므로

$f(1)=2+5=7$

6 답| ①

$$\begin{aligned}
\int_0^1 (4x-5)dx&=\int_0^1 4x\,dx-\int_0^1 5\,dx \\
&=\Big[2x^2\Big]_0^1-\Big[5x\Big]_0^1 \\
&=2-5 \\
&=-3
\end{aligned}$$

7 답| ②

$$\int_{-1}^1 (2x+1)dx=\Big[x^2+x\Big]_{-1}^1=2$$

다른 풀이

$$\int_{-1}^1 (2x+1)dx=2\int_0^1 1\,dx=2\Big[x\Big]_0^1$$
$$=2\cdot1=2$$

---

8 답| ④

곡선 $y=x^2$과 x축 및 직선 $x=3$으로 둘러싸인 도형은 오른쪽 그림의 색칠한 부분과 같다. 따라서 구하는 넓이는

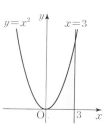

$$\int_{0}^{3} x^2 dx = \left[\frac{1}{3}x^3 \right]_{0}^{3} = 9$$

---

9 답| ②

시각 $t=10$에서 점 O에 대한 정희의 위치는

$$0 + \int_{0}^{10} \frac{1}{2} dt = \left[\frac{1}{2}t \right]_{0}^{10} = 5$$

---

10 답| ⑤

시각 $t=0$에서 $t=2$까지 점 P의 위치의 변화량은

$$\int_{0}^{2}(2t+3)dt = \left[t^2 + 3t \right]_{0}^{2} = 10$$

---

1 ③	**2** ②	**3** ②	**4** ①	**5** ②
6 ⑤	**7** ③	**8** ③	**9** ①	**10** ②
11 ③	**12** ②	**13** 200	**14** ④	**15** ⑤
16 4	**17** 10			

1 답| ③

$$\lim_{x \to 1} \frac{x^2 + 3x}{x+1} = \frac{1+3}{1+1} = 2$$

2 답| ②

$$\lim_{x \to 0} \frac{x^2 + 3x}{x} = \lim_{x \to 0} \frac{x(x+3)}{x}$$
$$= \lim_{x \to 0}(x+3)$$
$$= 3$$

3 답| ②

$$\lim_{x \to \infty} \frac{ax+3}{x+1} = \lim_{x \to \infty} \frac{a + \dfrac{3}{x}}{1 + \dfrac{1}{x}}$$
$$= a = 2$$

4 답 | ①

$x \to 1+$, $x \to 2-$일 때 함수 $f(x)$의 값이 -1로 일정하므로

$$\lim_{x \to 1+} f(x) = -1, \quad \lim_{x \to 2-} f(x) = -1$$

$$\therefore \lim_{x \to 1+} f(x) + \lim_{x \to 2-} f(x) = -1 + (-1) = -2$$

> 😊 **선배의 한마디**
>
> **함수의 좌극한과 우극한**
>
> ① 함수의 좌극한: 함수 $f(x)$에서 $x \to a-$일 때 $f(x)$의 값이 일정한 값 α에 한없이 가까워지면 α를 $x=a$에서의 함수 $f(x)$의 좌극한이라 한다.
>
> 즉 $\lim_{x \to a-} f(x) = \alpha$ 또는 $x \to a-$일 때 $f(x) \to \alpha$
>
> ② 함수의 우극한: 함수 $f(x)$에서 $x \to a+$일 때 $f(x)$의 값이 일정한 값 β에 한없이 가까워지면 β를 $x=a$에서의 함수 $f(x)$의 우극한이라 한다.
>
> 즉 $\lim_{x \to a+} f(x) = \beta$ 또는 $x \to a+$일 때 $f(x) \to \beta$

5 답 | ②

함수 $f(x)$가 $x=0$에서 연속이므로

$$\lim_{x \to 0} f(x) = f(0)$$

즉 $\lim_{x \to 0} (x^2 + a) = 2$이므로 $a=2$

6 답 | ⑤

$f(x) = x^3 + 2x + 1$에서 $f'(x) = 3x^2 + 2$

$$\therefore f'(1) = 3 + 2 = 5$$

7 답 | ③

$$\lim_{h \to 0} \frac{f(2+3h) - f(2)}{h} = 3 \lim_{h \to 0} \frac{f(2+3h) - f(2)}{3h}$$
$$= 3f'(2) = 3 \cdot 1 = 3$$

8 답 | ③

$f(x) = x^2 + ax - 3$에서

$$f'(x) = 2x + a$$

이때 $\lim_{x \to 1} \dfrac{f(x) - f(1)}{x - 1} = f'(1) = 5$이므로

$$2 + a = 5 \qquad \therefore a = 3$$

9 답 | ①

$f(x) = x^3 - 2x + 5$로 놓으면 $f'(x) = 3x^2 - 2$

따라서 점 $(1, 4)$에서의 접선의 기울기는

$$f'(1) = 3 - 2 = 1$$

10 답 | ②

$f(x) = -x^2 + 6x - 5$에서

$$f'(x) = -2x + 6$$
$$= -2(x - 3)$$

$f'(x) = 0$에서 $x = 3$

x	$\cdots$	3	$\cdots$
$f'(x)$	$+$	0	$-$
$f(x)$	$\nearrow$	4	$\searrow$

즉 함수 $f(x)$는 $x=3$에서 극댓값 4를 갖는다.

따라서 $a=3$, $b=4$이므로 지불해야 하는 총 금액은

$$1000 \cdot 3 + 1500 \cdot 4 = 9000(원)$$

> 😊 **선배의 한마디**
>
> **함수의 극값의 판정**
>
> 함수 $f(x)$가 미분가능하고 $f'(a) = 0$일 때, $x=a$의 좌우에서 $f'(x)$의 부호가
>
> ① 양에서 음으로 바뀌면 함수 $f(x)$는 $x=a$에서 극대이고, 극댓값 $f(a)$를 갖는다.
>
> ② 음에서 양으로 바뀌면 함수 $f(x)$는 $x=a$에서 극소이고, 극솟값 $f(a)$를 갖는다.

11 답| ③

$x=-1$에서 극댓값 3, $x=1$
에서 극솟값 0을 갖는 삼차함
수 $y=f(x)$의 그래프는 오른
쪽 그림과 같다. 따라서 함수
$y=f(x)$의 그래프와 직선 $y=k$가 서로 다른 세 점
에서 만나려면

$0<k<3$

따라서 자연수 k는 1, 2이므로 그 합은

$1+2=3$

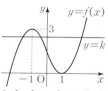

12 답| ②

시각 t에서 점 P의 속도를 v라 하면

$$v=\frac{dx}{dt}=-3t^2+12$$

운동 방향을 바꿀 때의 속도는 0이므로 $v=0$에서
$-3t^2+12=0$, $-3(t+2)(t-2)=0$

$\therefore t=2 \ (\because t>0)$

따라서 점 P가 운동 방향을 바꾸는 시각은 2이다.

13 답| 200

$$f(x)=\int f'(x)dx$$
$$=\int(3x^2-4x+1)dx$$
$$=x^3-2x^2+x+C$$

이때 $f(-1)=-4$이므로 $-1-2-1+C=-4$

$\therefore C=0$

즉 $f(x)=x^3-2x^2+x$이므로

$f(2)=8-8+2=2$
$f(1)=1-2+1=0$
$f(0)=0$

따라서 자물쇠의 비밀번호는 200이다.

14 답| ④

$$\int_0^2(4x+1)dx=\left[2x^2+x\right]_0^2=10$$

15 답| ⑤

$\displaystyle\int_1^x f(t)dt=x^3-3x+2$의 양변을 x에 대하여 미
분하면 $f(x)=3x^2-3$

$\therefore f(2)=12-3=9$

따라서 □ 안에 알맞은 수는 9이다.

16 답| 4

곡선 $y=-3x^2+6x$와 x축의
교점의 x좌표는
$-3x^2+6x=0$에서
$-3x(x-2)=0$

$\therefore x=0$ 또는 $x=2$

따라서 구하는 호수의 넓이는

$$\int_0^2(-3x^2+6x)dx$$
$$=\left[-x^3+3x^2\right]_0^2$$
$$=4$$

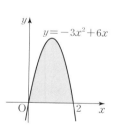

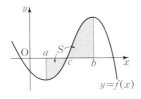
17 **답 |** 10

시각 $t=2$에서 점 P의 위치는

$$0+\int_0^2 (2t+3)\,dt = \Big[\, t^2+3t \,\Big]_0^2 = 10$$

10일차 수능 기초 예상 문제 2회

1 ③	**2** ④	**3** ③	**4** ②	**5** ②
6 ⑤	**7** ⑤	**8** ③	**9** ③	**10** ④
11 ③	**12** ④	**13** ①	**14** ④	**15** ⑤
16 ④	**17** ①			

1 **답 |** ③

$$\lim_{x \to 1}(x^3-2x+5)=\lim_{x \to 1}x^3-2\lim_{x \to 1}x+\lim_{x \to 1}5$$
$$=1-2+5$$
$$=4$$

2 **답 |** ④

$$\lim_{x \to 2}\frac{x^2-4}{x-2}=\lim_{x \to 2}\frac{(x-2)(x+2)}{x-2}$$
$$=\lim_{x \to 2}(x+2)$$
$$=2+2$$
$$=4$$

3 **답 |** ③

$$\lim_{x \to \infty}\frac{ax^2+x}{x^2+1}=\lim_{x \to \infty}\frac{a+\dfrac{1}{x}}{1+\dfrac{1}{x^2}}$$
$$=a=3$$

선배의 한마디

$\dfrac{\infty}{\infty}$ 꼴의 함수의 극한

$\displaystyle\lim_{x \to \infty}f(x)=\infty$, $\displaystyle\lim_{x \to \infty}g(x)=\infty$일 때,

① $\displaystyle\lim_{x \to \infty}\dfrac{f(x)}{g(x)}$의 값은 분모의 최고차항으로 분자와 분모를 나누어 구한다.

② $f(x)-g(x)$가 무리식이면 $\displaystyle\lim_{x \to \infty}\{f(x)-g(x)\}$의 값은 근호가 있는 부분을 유리화하여 주어진 식을 변형한 다음 구한다.

4 답| ②

$x \to 0-$일 때 함수 $f(x)$의 값이 2로 일정하므로

$\lim\limits_{x \to 0-} f(x) = 2$

$\therefore f(1) + \lim\limits_{x \to 0-} f(x) = 0 + 2 = 2$

5 답| ②

함수 $f(x)$가 실수 전체의 집합에서 연속이므로

$x=1$에서 연속이다. 즉 $\lim\limits_{x \to 1} f(x) = f(1)$이므로

$\lim\limits_{x \to 1} (x^2 + x) = a$ $\therefore a = 2$

$\therefore f(a) = f(2) = 4 + 2 = 6$

6 답| ⑤

$f(x) = x(2x-1) = 2x^2 - x$에서 $f'(x) = 4x - 1$

$\therefore f'(1) = 4 - 1 = 3$

─ **다른 풀이** ─

$f'(x) = (x)'(2x-1) + x(2x-1)'$

$\qquad = 2x - 1 + 2x = 4x - 1$

$\therefore f'(1) = 4 - 1 = 3$

> 🧑 **선배의 한마디**
>
> **함수의 곱의 미분법**
> 두 함수 $f(x), g(x)$가 미분가능할 때
> $\{f(x)g(x)\}' = f'(x)g(x) + f(x)g'(x)$

7 답| ⑤

$\lim\limits_{h \to 0} \dfrac{f(1+2h) - f(1)}{h} = 2\lim\limits_{h \to 0} \dfrac{f(1+2h) - f(1)}{2h}$

$\qquad\qquad\qquad\qquad\qquad = 2f'(1)$

이때 $f(x) = x^3 + 2x - 3$에서 $f'(x) = 3x^2 + 2$

따라서 구하는 값은

$2f'(1) = 2 \cdot 5 = 10$

8 답| ③

$f(x) = x^3 + ax + b$에서 $f'(x) = 3x^2 + a$

함수 $f(x)$의 그래프 위의 점 $(-1, 2)$에서의 접선의 기울기가 5이므로

$f'(-1) = 5, f(-1) = 2$

$f'(-1) = 5$에서 $3 + a = 5$ $\therefore a = 2$

즉 $f(x) = x^3 + 2x + b$이므로 $f(-1) = 2$에서

$-1 - 2 + b = 2$ $\therefore b = 5$

$\therefore a + b = 2 + 5 = 7$

> 🧑 **선배의 한마디**
>
> **곡선 위의 한 점에서의 접선의 방정식**
> 곡선 $y = f(x)$ 위의 점 $(a, f(a))$에서의 접선의 방정식은
> $y = f'(a)(x-a) + f(a)$

9 답| ③

$f(x) = x^3 - 3x + 5$에서

$f'(x) = 3x^2 - 3 = 3(x+1)(x-1)$

$f'(x) = 0$에서 $x = -1$ 또는 $x = 1$

x	$\cdots$	-1	$\cdots$	1	$\cdots$
$f'(x)$	$+$	0	$-$	0	$+$
$f(x)$	↗	7	↘	3	↗

즉 함수 $f(x)$는 $x=1$에서 극솟값 3을 갖는다.

10 답| ④

시각 t에서 점 P의 속도, 가속도를 각각 v, a라 하면

$v = \dfrac{dx}{dt} = 6t + 2, \quad a = \dfrac{dv}{dt} = 6$

따라서 시각 $t = 2$에서 점 P의 속도 α와 가속도 β는

$\alpha = 12 + 2 = 14, \quad \beta = 6$

$\therefore \alpha + \beta = 14 + 6 = 20$

선배의 한마디

속도와 가속도

수직선 위를 움직이는 점 P의 시각 t에서의 위치 x가 $x=f(t)$일 때, 시각 t에서의 점 P의 속도 v와 가속도 a는

① $v=\dfrac{dx}{dt}=f'(t)$

② $a=\dfrac{dv}{dt}$

11 답| ③

$f(x)=\int(3x^2-4x+5)dx=x^3-2x^2+5x+C$

이때 $f(1)=2$에서 $1-2+5+C=2$

$\therefore C=-2$

따라서 $f(x)=x^3-2x^2+5x-2$이므로

$f(2)=8-8+10-2=8$

12 답| ④

$\int_1^3(6x^2-2x+1)dx=\Big[2x^3-x^2+x\Big]_1^3=46$

13 답| ①

카드에 적힌 정적분의 값의 합은

$\int_1^3(2x^2+1)dx+\int_1^3(x^2-1)dx$

$=\int_1^3\{(2x^2+1)+(x^2-1)\}dx$

$=\int_1^3 3x^2dx$

$=\Big[x^3\Big]_1^3$

$=26$

선배의 한마디

함수의 실수배, 합, 차의 정적분

두 함수 $f(x)$, $g(x)$가 두 실수 a, b를 포함하는 열린구간에서 연속일 때

① $\int_a^b kf(x)dx=k\int_a^b f(x)dx$ (단, k는 상수)

② $\int_a^b\{f(x)+g(x)\}dx$

$=\int_a^b f(x)dx+\int_a^b g(x)dx$

③ $\int_a^b\{f(x)-g(x)\}dx$

$=\int_a^b f(x)dx-\int_a^b g(x)dx$

14 답| ④

$\int_1^x f(t)dt=x^3+ax+2$의 양변에 $x=1$을 대입하면 $0=1+a+2$

$\therefore a=-3$

선배의 한마디

정적분

함수 $f(x)$가 실수 a, b를 포함하는 열린구간에서 연속일 때

① $\int_a^a f(x)dx=0$

② $\int_a^b f(x)dx=-\int_b^a f(x)dx$

15 답| ⑤

곡선 $y=x^2-3x$와 x축의 교점의 x좌표는

$x^2-3x=0$에서 $x(x-3)=0$

$\therefore x=0$ 또는 $x=3$

곡선 $y=x^2-3x$와 x축으로 둘러싸인 도형은 오른쪽 그림의 색칠한 부분과 같다. 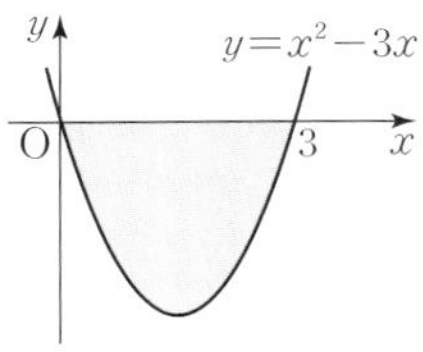
따라서 구하는 넓이는

$$\int_0^3 \{-(x^2-3x)\}dx = \int_0^3 (-x^2+3x)dx$$
$$= \left[-\frac{1}{3}x^3 + \frac{3}{2}x^2 \right]_0^3$$
$$= \frac{9}{2}$$

🎓 선배의 한마디

움직인 거리

수직선 위를 움직이는 점 P의 시각 t에서의 속도가 $v(t)$일 때, 시각 $t=a$에서 $t=b$까지 점 P가 움직인 거리 s는

$$s=\int_a^b |v(t)|dt$$

16 답 ④

장난감의 전원을 켠 지 2분 후에 장난감이 운동 방향을 바꾸므로 $v(2)=0$에서
$$-40+a=0 \qquad \therefore a=40$$
따라서 $v(t)=-20t+40$이므로 2분 후에 지면으로부터의 장난감의 높이는

$$40+\int_0^2 (-20t+40)dt = 40+\left[-10t^2+40t \right]_0^2$$
$$= 40+40$$
$$= 80\,(\text{cm})$$

17 답 ①

출발한 후 시각 $t=3$까지 점 P가 움직인 거리는

$$\int_0^3 |2t-4|dt = \int_0^2 (-2t+4)dt + \int_2^3 (2t-4)dt$$
$$= \left[-t^2+4t \right]_0^2 + \left[t^2-4t \right]_2^3$$
$$= 4+1$$
$$= 5$$

정답은
이안에
있어！

배움으로 행복한 내일을 꿈꾸는
천재교육 커뮤니티 안내

. . .

교재 안내부터 구매까지 한 번에!
천재교육 홈페이지

천재교육 홈페이지에서는 자사가 발행하는 참고서,
교과서에 대한 소개는 물론 도서 구매도 할 수 있습니다.
회원에게 지급되는 별을 모아 다양한 상품 응모에도
도전해 보세요.

구독, 좋아요는 필수! 핵유용 정보 가득한
천재교육 유튜브 <천재TV>

신간에 대한 자세한 정보가 궁금하세요?
참고서를 어떻게 활용해야 할지 고민인가요?
공부 외 다양한 고민을 해결해 줄 채널이 필요한가요?
학생들에게 꼭 필요한 콘텐츠로 가득한 천재TV로 놀러 오세요!

다양한 교육 꿀팁에 깜짝 이벤트는 덤!
천재교육 인스타그램

천재교육의 새롭고 중요한 소식을 가장 먼저 접하고 싶다면?
천재교육 인스타그램 팔로우가 필수!
누구보다 빠르고 재미있게 천재교육의 소식을 전달합니다.
깜짝 이벤트도 수시로 진행되니 놓치지 마세요!

수능 **포기자**를 위한 단 하나의 대책

10일 격파 시리즈

초단기 수능 기초

어렵게만 느껴졌던 수능은 BYE~
핵심 개념&유형만 쏙쏙 담아
10일 안에 수능 기초 다지기!

수능 빈출 유형 정복

수능에 자주 출제되는 문제를
집중 연습하여 실력을 점검하고
빠르게 수능 빈출 유형 마스터!

실전 감각 익히기

모의고사 형식의 수능 실전 문제로
단기간에 시험 감각을 익혀
실제 수능에서도 자신감 UP!

수능 기초, 쉽게 접근하고 빠르게 끝내자!

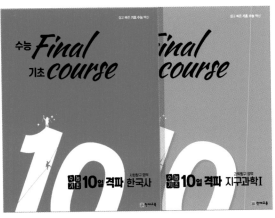

국어: 고1~3 / 문학, 독서
수학: 고2~3 / 수학 I , 수학 II
영어: 고1~3 / 듣기, 독해

사회: 고2~3 / 한국사(고2), 한국지리, 생활과 윤리, 사회문화
과학: 고1~3 / 물리학 I , 화학 I , 생명과학 I , 지구과학 I

book.chunjae.co.kr

교재 내용 문의	교재 홈페이지 ▶ 고등 ▶ 교재상담
교재 내용 외 문의	교재 홈페이지 ▶ 고객센터 ▶ 1:1문의
발간 후 발견되는 오류	교재 홈페이지 ▶ 고등 ▶ 학습지원 ▶ 학습자료실

53410

ISBN 979-11-259-6121-5

정가 13,000원

수능 *Final*
기초 *course*

수학 영역

수능
기초 **10**일 **격파** **수학 I**

천재교육

언제나 만점이고 싶은 친구들 ——————

Welcome!

숨 돌릴 틈 없이 찾아오는 시험과 평가.
성적과 입시 그리고 미래에 대한 걱정.
중·고등학교에서 보내는 6년이란 시간은
때때로 힘들고, 버겁게 느껴지곤 해요.

그런데 여러분, 그거 아세요?
지금 이 시기가 노력의 대가를
가장 잘 확인할 수 있는 시간이라는 걸요.

안 돼, 못하겠어, 해도 안 될 텐데—
어렵게 생각하지 말아요. 천재교육이 있잖아요.
첫 시작의 두려움을 첫 마무리의 뿌듯함으로 바꿔줄게요.

펜을 쥐고 이 책을 펼친 순간
여러분 앞에 무한한 가능성의 길이 열렸어요.

우리와 함께 꽃길을 향해 걸어가 볼까요?

수능 Final
기초 course

수능

기초

수능 기초 10일 격파

수학 영역

수학 I

수능 기초 체크 44선

천재교육

10일 격파

수학 영역

수능기초 **10**일 **격파** **수학Ⅰ**

수능 기초 체크 44선

차례

◆ n이 2 이상의 정수일 때, n제곱하여 실수 a가 되는 수, 즉 방정식 $x^n=a$를 만족시키는 수 x를 a의 **❶** ▢ 이 라 한다.

◆ a가 실수이고 n이 2 이상의 정수일 때, $x^n=a$를 만족시키는 실수 x의 값은 다음과 같다.

	$a>0$	$a=0$	$a<0$
n이 홀수	$\sqrt[n]{a}$	**❷** ▢	$\sqrt[n]{a}$
n이 짝수	$\sqrt[n]{a}$, $-\sqrt[n]{a}$	0	**❸** ▢ .

예

n제곱근에서 n이 홀수인 지 짝수인지 구분해야 돼.

27의 세제곱근 중에서 실수인 것
→ $\sqrt[3]{27}=3$

-27의 세제곱근 중에서 실수인 것
→ $\sqrt[3]{-27}=-3$

81의 네제곱근 중에서 실수인 것
→ $\sqrt[4]{81}=3$, $-\sqrt[4]{81}=-3$

-81의 네제곱근 중에서 실수인 것
→ 없다.

답 | ❶ n제곱근   ❷ 0   ❸ 없다

 도전 16의 네제곱근 중 양수인 것을 a, -125의 세제곱근 중 실수인 것을 b라 할 때, $a+b$의 값은?

① -5 　　② -3 　　③ 3 　　④ 5 　　⑤ 7

 풀이 답 | ②

$a=\sqrt[4]{16}=\sqrt[4]{2^4}=$ **❶** ▢ , $b=\sqrt[3]{-125}=\sqrt[3]{(-5)^3}=$ **❷** ▢

∴ $a+b=2+(-5)=-3$

답 ❶ 2   ❷ -5

◆ 거듭제곱근의 성질: $a>0$, $b>0$이고 m, n이 2 이상의 정수일 때

❶ $\sqrt[n]{a}\,\sqrt[n]{b}=\sqrt[n]{ab}$

❷ $\dfrac{\sqrt[n]{a}}{\sqrt[n]{b}}=\sqrt[n]{\dfrac{a}{b}}$

❸ $(\sqrt[n]{a})^m=\sqrt[n]{\boxed{❶}}$

❹ $\sqrt[m]{\sqrt[n]{a}}=\sqrt[mn]{a}$

◆ 지수법칙: $a>0$, $b>0$이고 x, y가 실수일 때

❶ $a^x a^y=a^{x+y}$

❷ $a^x \div a^y=\boxed{❷}$

❸ $(a^x)^y=\boxed{❸}$

❹ $(ab)^x=a^x b^x$

예

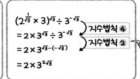

$$5^{\frac{2}{3}}=\sqrt[3]{5^2}$$

근호 안으로 / 근호 밖으로

$(2^{\frac{1}{\sqrt{3}}}\times 3)^{\sqrt{3}}\div 3^{-\sqrt{3}}$
$=2\times 3^{\sqrt{3}}\div 3^{-\sqrt{3}}$ } 지수법칙 ❹
$=2\times 3^{\sqrt{3}-(-\sqrt{3})}$ } 지수법칙 ❷
$=2\times 3^{2\sqrt{3}}$

밑이 같은 경우에 지수법칙을 이용하여 계산할 수 있어.

답| ❶ a^m ❷ a^{x-y} ❸ a^{xy}

 $\dfrac{1}{\sqrt{2}}\times\sqrt{8}\div\sqrt[3]{4}=2^a$일 때, 상수 a의 값은?

① $\dfrac{1}{6}$ ② $\dfrac{1}{5}$ ③ $\dfrac{1}{4}$ ④ $\dfrac{1}{3}$ ⑤ $\dfrac{1}{2}$

 답| ④

(좌변) $=2^{-\frac{1}{2}}\times 2^{\frac{3}{2}}\div 2^{\frac{2}{3}}=2^{-\frac{1}{2}+\frac{3}{2}-\frac{2}{3}}=\boxed{❶}$

∴ $a=\boxed{❷}$

답 ❶ $2^{\frac{1}{3}}$ ❷ $\dfrac{1}{3}$

◆ $a>0$, $a\neq1$, $M>0$, $N>0$일 때

  ① $\log_a 1 = \boxed{①}$, $\log_a a = \boxed{②}$

  ② $\log_a MN = \log_a M + \log_a N$

  ③ $\log_a \dfrac{M}{N} = \log_a M - \log_a N$

  ④ $\log_a M^k = \boxed{③}\ \log_a M$ (k는 실수)

예

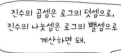

진수의 곱셈은 로그의 덧셈으로,
진수의 나눗셈은 로그의 뺄셈으로
계산하면 돼.

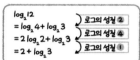

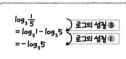

답|❶ 0 ❷ 1 ❸ k

 $\log_3 5 + \log_9 36 = \log_3 k$일 때, 상수 k의 값은?

  ① 5   ② 10   ③ 15   ④ 30   ⑤ 36

 답| ④

$$\log_3 5 + \log_9 36 = \log_3 5 + \log_{3^2} 6^2 = \log_3 5 + \log_3 \boxed{①}$$

$$= \log_3 (5 \times 6) = \log_3 \boxed{②}$$

  $\therefore k = 30$

 답 ❶ 6 ❷ 30

◆ $a>0$, $a\neq1$, $b>0$, $c>0$, $c\neq1$일 때

❶ $\log_a b = \dfrac{\log_c \boxed{❶}}{\log_c \boxed{❷}}$

❷ $\log_a b = \dfrac{1}{\boxed{❸}}$ $(b\neq1)$

[예] 밑을 2로 변환하기

분자의 진수로

$$\log_4 8 = \frac{\log_2 8}{\log_2 4} = \frac{\log_2 2^3}{\log_2 2^2} = \frac{3\log_2 2}{2\log_2 2} = \frac{3}{2}$$

분모의 진수로

로그는 경우에 따라 밑을 다른 수로 바꾸어 나타낼 수 있어!

답| ❶ b ❷ a ❸ $\log_b a$

 1이 아닌 양수 a, b, x에 대하여 $\log_a x=3$, $\log_b x=4$일 때, $\log_x ab$의 값은?

① $\dfrac{1}{6}$ ② $\dfrac{4}{9}$ ③ $\dfrac{7}{12}$ ④ $\dfrac{11}{15}$ ⑤ 1

 답| ③

$\log_a x=3$에서 $\dfrac{1}{\boxed{❶}}=3$이므로 $\log_x a=\dfrac{1}{3}$

$\log_b x=4$에서 $\dfrac{1}{\boxed{❷}}=4$이므로 $\log_x b=\dfrac{1}{4}$

$\therefore \log_x ab=\log_x a+\log_x b=\dfrac{1}{3}+\dfrac{1}{4}=\dfrac{7}{12}$

 답 ❶ $\log_x a$ ❷ $\log_x b$

◆ **상용로그**: 10을 밑으로 하는 로그를 ❶ [   ] 라 하고, 양수 N의 상용로그 $\log_{10} N$은 보통 밑 10을 생략하여 ❷ [   ] 과 같이 나타낸다.

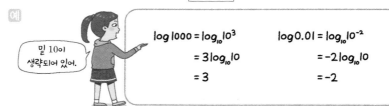

밑 10이 생략되어 있어.

$$\log 1000 = \log_{10} 10^3 \qquad\qquad \log 0.01 = \log_{10} 10^{-2}$$
$$= 3\log_{10} 10 \qquad\qquad\qquad = -2\log_{10} 10$$
$$= 3 \qquad\qquad\qquad\qquad\quad = -2$$

◆ 상용로그의 값은 상용로그표를 이용하여 구할 수 있다. 즉 다음 표에서 $\log 2.75 =$ ❸ [   ]

수	0	1	⋯	5	6
1.0	.0000	.0043	⋯	.0212	.0253
1.1	.0414	.0453	⋯	.0607	.0645
⋮	⋮	⋮	⋮	⋮	⋮
2.7	.4314	.4330	⋯	.4393	.4409
2.8	.4472	.4487	⋯	.4548	.4564

답| ❶ 상용로그 ❷ $\log N$ ❸ 0.4393

도전

$\log 2 = 0.3010$, $\log 3 = 0.4771$일 때, $\log 72$의 값은?

① 0.7781   ② 1.0451   ③ 1.2552

④ 1.8572   ⑤ 2.0333

풀이 답| ④

$$\log 72 = \log(2^3 \times 3^2) = \log 2^3 + \log 3^2 = 3\log 2 + 2\,❶\boxed{}$$
$$= 3 \times ❷\boxed{} + 2 \times 0.4771 = 1.8572$$

답 ❶ $\log 3$ ❷ 0.3010

◆ 지수함수 $y=a^x$ $(a>0,\ a\neq1)$의 그래프는 a의 값의 범위에 따라 다음 그림과 같다.

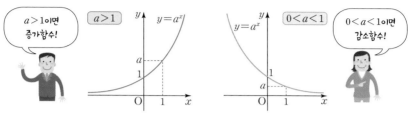

① 정의역은 $\boxed{\textbf{❶}}$ 전체의 집합이고, 치역은 양의 실수 전체의 집합이다.

② $a>1$일 때, x의 값이 증가하면 y의 값도 증가한다.

 $0<a<1$일 때, x의 값이 증가하면 y의 값은 $\boxed{\textbf{❷}}$ 한다.

③ 그래프의 점근선은 $\boxed{\textbf{❸}}$ 축이다.

답 | ❶ 실수 ❷ 감소 ❸ x

 다음 중 함수 $f(x)=5^x$에 대한 설명으로 옳지 <u>않은</u> 것은?

① 그래프와 y축의 교점의 좌표는 $(0,\ 1)$이다.

② 그래프의 점근선의 방정식은 $y=0$이다.

③ 그래프는 제1, 2사분면을 지난다.

④ 치역은 $\{y\,|\,y>0$인 실수$\}$이다.

⑤ $x_1<x_2$이면 $f(x_1)>f(x_2)$이다.

 답 | ⑤

⑤ 밑 5는 1보다 크므로 함수 $f(x)$는 $\boxed{\textbf{❶}}$ 함수이다.

 즉 $x_1<x_2$이면 $f(x_1) \boxed{\textbf{❷}} f(x_2)$이다.

답 ❶ 증가 ❷ <

07 지수함수의 그래프의 평행이동

◆ 지수함수 $y=a^x$의 그래프를 x축의 방향으로 m만큼, y축의 방향으로 n만큼 평행이동하면

$$y-n=a^{x-m} \Rightarrow y=a^{x-m}+\boxed{\textbf{❶}}$$

이때 이 그래프의 점근선은 직선 $\boxed{\textbf{❷}}$ 이다.

예 함수 $y=2^x$의 그래프를 x축의 방향으로 1만큼, y축의 방향으로 3만큼 평행이동 한 그래프의 식

$$y=2^x \Rightarrow y-3=2^{x-1}$$
$$\therefore y=2^{x-1}+3$$

$y=2^x$에 x 대신 $x-1$, y 대신 $y-3$을 대입하면 돼.

답| ❶ n ❷ $y=n$

 함수 $y=2^x$의 그래프를 x축의 방향으로 2만큼, y축의 방향으로 a만큼 평행 이동하면 함수 $y=2^{x-b}+5$의 그래프와 일치할 때, 상수 a, b에 대하여 $a+b$의 값은?

① -7 ② -3 ③ 0 ④ 3 ⑤ 7

 답| ⑤

함수 $y=2^x$의 그래프를 x축의 방향으로 2만큼, y축의 방향으로 a만큼 평행 이동한 그래프의 식은 $y=2^{x-2}+\boxed{\textbf{❶}}$

이 그래프가 함수 $y=2^{x-b}+5$의 그래프와 일치하므로

$a=\boxed{\textbf{❷}}$, $b=\boxed{\textbf{❸}}$ $\therefore a+b=5+2=7$

답 ❶ a ❷ 5 ❸ 2

◆ 정의역이 $\{x\,|\,m\leq x\leq n\}$인 지수함수 $y=a^x$은

❶ $a>1$이면 $x=m$일 때 최솟값 $\boxed{❶}$

　　　　　$x=n$일 때 최댓값 a^n

❷ $0<a<1$이면 $x=m$일 때 최댓값 a^m

　　　　　　$x=n$일 때 최솟값 $\boxed{❷}$

예 정의역이 $\{x\,|\,3\leq x\leq 5\}$인 함수 $y=2^{x-3}$의 최댓값과 최솟값

> 함수 $y=2^{x-3}$은 증가함수이므로
>
> 최댓값: $x=5$ 일 때, $y=2^{5-3}=2^2=4$
>
> 최솟값: $x=3$ 일 때, $y=2^{3-3}=2^0=1$

지수함수 $y=a^x$에서 $a>1$이면 증가함수, $0<a<1$이면 감소함수임을 이용해.

답| ❶ a^m　❷ a^n

 도전　정의역이 $\{x\,|\,-1\leq x\leq 2\}$인 함수 $y=\left(\dfrac{1}{3}\right)^x-1$의 최댓값을 M, 최솟값을 m이라 할 때, $9(M+m)$의 값은?

① 6　　　　② 8　　　　③ 10　　　　④ 12　　　　⑤ 14

 풀이　답| ③

함수 $y=\left(\dfrac{1}{3}\right)^x-1$은 감소함수이므로

최댓값은 $x=-1$일 때, $M=\left(\dfrac{1}{3}\right)^{-1}-1=\boxed{❶}$

최솟값은 $x=2$일 때, $m=\left(\dfrac{1}{3}\right)^{2}-1=\boxed{❷}$

$\therefore\ 9(M+m)=9\left\{2+\left(-\dfrac{8}{9}\right)\right\}=10$

답 ❶ 2　❷ $-\dfrac{8}{9}$

◆ 밑을 같게 할 수 있는 경우

주어진 방정식을 $a^{f(x)}=a^{g(x)}(a>0,\ a\neq1)$ 꼴로 변형한 후 방정식

$f(x)=$ ❶ 를 푼다.

예 방정식 $2^{x-1}=4$의 해

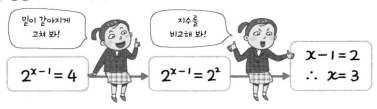

◆ a^x 꼴이 반복되는 경우

$a^x=t$로 치환하고 t에 대한 방정식을 푼다.

이때 $a^x>$ ❷ 이므로 $t>0$임에 주의한다.

답| ❶ $g(x)$ ❷ 0

도전 방정식 $\left(\dfrac{1}{9}\right)^{-x+1}=\dfrac{1}{27}$의 해를 $x=\alpha$라 할 때, 4α의 값은?

① -2　　② -1　　③ 1　　④ 2　　⑤ 3

답| ①

$\left(\dfrac{1}{9}\right)^{-x+1}=\dfrac{1}{27}$에서 $\left(\dfrac{1}{3}\right)^{-2x+2}=\left(\dfrac{1}{3}\right)^{3}$

즉 $-2x+2=3$이므로 $x=$ ❶

따라서 $\alpha=-\dfrac{1}{2}$이므로 $4\alpha=4\cdot\left(-\dfrac{1}{2}\right)=$ ❷

답 ❶ $-\dfrac{1}{2}$ ❷ -2

◆ 밑을 같게 할 수 있는 경우

주어진 부등식을 $a^{f(x)} < a^{g(x)}$ $(a > 0, a \neq 1)$ 꼴로 변형한 후

❶ $a > 1$이면 $f(x) < g(x)$　　　　❷ $0 < a < 1$이면 $f(x)$ [❶] $g(x)$

예 부등식 $2^{x-2} \geq 8$의 해

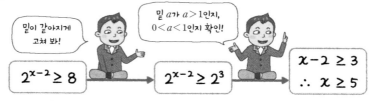

◆ a^x 꼴이 반복되는 경우

$a^x = t$로 치환하고 t에 대한 부등식을 푼다.

이때 $a^x > 0$이므로 $t >$ [❷] 임에 주의한다.

답 | ❶ > 　❷ 0

 도전 부등식 $\left(\dfrac{1}{5}\right)^{1-2x} < 5^{3x+1}$의 해가 $x > a$일 때, 상수 a의 값은?

① -2　　　② -1　　　③ 0　　　④ 1　　　⑤ 2

 풀이 답 | ①

$\left(\dfrac{1}{5}\right)^{1-2x} < 5^{3x+1}$에서 $\left(\dfrac{1}{5}\right)^{1-2x} < \left(\dfrac{1}{5}\right)^{[❶]}$

이때 밑 $\dfrac{1}{5}$은 1보다 작은 양수이므로 $1-2x > -3x-1$

∴ $x >$ [❷] , 즉 $a =$ [❸]

답　❶ $-3x-1$　❷ -2　❸ -2

◆ 로그함수 $y=\log_a x$ $(a>0,\ a\neq1)$의 그래프는 a의 값의 범위에 따라 다음 그림과 같다.

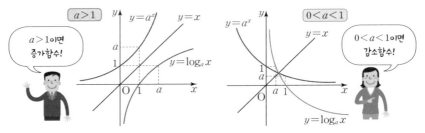

❶ 정의역은 양의 실수 전체의 집합이고, 치역은 [❶   ] 전체의 집합이다.

❷ $a>1$일 때, x의 값이 증가하면 y의 값도 [❷   ] 한다.

  $0<a<1$일 때, x의 값이 증가하면 y의 값은 감소한다.

❸ 그래프의 점근선은 [❸   ] 축이다.

답| ❶ 실수 ❷ 증가 ❸ y

 다음 중 함수 $y=\log_{\frac{1}{3}} x$에 대한 설명으로 옳지 <u>않은</u> 것은?

① 치역은 실수 전체의 집합이다.

② $x>0$에서 x의 값이 증가하면 y의 값도 증가한다.

③ 그래프의 점근선은 y축이다.

④ 그래프는 점 $(1, 0)$을 지난다.

⑤ 그래프는 함수 $y=-\log_3 x$의 그래프와 일치한다.

 답| ②

② 밑 $\dfrac{1}{3}$은 1보다 작은 양수이므로 주어진 함수는 [❶   ] 함수이다.

  즉 $x>0$에서 x의 값이 증가하면 y의 값은 [❷   ] 한다.

답 ❶ 감소 ❷ 감소

◆ 로그함수 $y=\log_a x$의 그래프를 x축의 방향으로 m만큼, y축의 방향으로 n
만큼 평행이동하면

$$y-n=\log_a(x-m) \Rightarrow y=\log_a(x-m)+\boxed{❶}$$

이때 이 그래프의 점근선은 직선 $\boxed{❷}$ 이다.

예 함수 $y=\log_3 x$의 그래프를 x축의 방향으로 2만큼, y축의 방향으로 4만큼 평행
이동한 그래프의 식

$$y=\log_3 x \Rightarrow y-4=\log_3(x-2)$$
$$\therefore y=\log_3(x-2)+4$$

$y=\log_3 x$에
x 대신 $x-2$,
y 대신 $y-4$
를 대입하면 돼.

답| ❶ n ❷ $x=m$

도전 함수 $y=\log_2 x$의 그래프를 x축의 방향으로 2만큼, y축의 방향으로 a만큼
평행이동하면 함수 $y=\log_2 8(x+b)$의 그래프와 일치할 때, 상수 a, b에
대하여 $a-b$의 값은?

① -5　　　② -2　　　③ 0　　　④ 2　　　⑤ 5

풀이 답| ⑤

$$y=\log_2 8(x+b)=\log_2(x+b)+\log_2 8=\log_2(x+b)+3 \quad \cdots\cdots \textcircled{\scriptsize ㄱ}$$

함수 $y=\log_2 x$의 그래프를 x축의 방향으로 2만큼, y축의 방향으로 a만큼
평행이동한 그래프의 식은 $y=\log_2(x-2)+a$

이 그래프가 ㄱ의 그래프와 일치하므로 $a=\boxed{❶}$, $b=\boxed{❷}$

$$\therefore a-b=3-(-2)=5$$

답 ❶ 3 ❷ -2

◆ 정의역이 $\{x \mid m \le x \le n\}$인 로그함수 $y=\log_a x$는

❶ $a>1$이면 $x=m$일 때 최솟값 $\log_a m$

　　$x=\boxed{❶}$ 일 때 최댓값 $\log_a n$

❷ $0<a<1$이면 $x=m$일 때 최댓값 $\boxed{❷}$

　　$x=n$일 때 최솟값 $\log_a n$

예 정의역이 $\{x \mid 5 \le x \le 9\}$인 함수 $y=\log_2(x-1)$의 최댓값과 최솟값

> 함수 $y=\log_2(x-1)$은 증가함수이므로
>
> 최댓값: $x=9$일 때, $y=\log_2 8 = \log_2 2^3 = 3$
>
> 최솟값: $x=5$일 때, $y=\log_2 4 = \log_2 2^2 = 2$

> 로그함수 $y=\log_a x$에서
> $a>1$이면 증가함수,
> $0<a<1$이면 감소함수
> 임을 이용해.

답 | ❶ n　❷ $\log_a m$

 도전　정의역이 $\{x \mid 1 \le x \le 3\}$인 함수 $y=\log_{\frac{1}{2}}(x+1)$의 최댓값을 M, 최솟값을 m이라 할 때, Mm의 값은?

① -2　　② -1　　③ 0　　④ 1　　⑤ 2

 풀이　답 | ⑤

함수 $y=\log_{\frac{1}{2}}(x+1)$은 감소함수이므로

최댓값은 $x=1$일 때, $M=\log_{\frac{1}{2}}(1+1)=\log_{\frac{1}{2}} 2=\boxed{❶}$

최솟값은 $x=3$일 때, $m=\log_{\frac{1}{2}}(3+1)=\log_{\frac{1}{2}} 4=\boxed{❷}$

$\therefore Mm = -1 \cdot (-2) = 2$

답　❶ -1　❷ -2

◆ 밑을 같게 할 수 있는 경우

주어진 방정식을 $\log_a f(x) = \log_a g(x)\,(a > 0,\ a \neq 1)$ 꼴로 변형한 후
방정식 **❶**[ ]$= g(x)\,(f(x) > 0,\ $**❷**[ ]$> 0)$를 푼다.

예 방정식 $\log_2(x-1) = \log_2 3$의 해

◆ $\log_a x$ 꼴이 반복되는 경우

$\log_a x = t$로 치환하고 t에 대한 방정식을 푼다.

답 | **❶** $f(x)$ **❷** $g(x)$

 방정식 $\log_3(2x-1) = 2$의 해가 $x = k$일 때, 상수 k의 값은?

① 1   ② 2   ③ 3   ④ 4   ⑤ 5

 답 | ⑤

진수의 조건에서 $2x - 1 > 0$ ∴ $x >$ **❶**[ ]   ……㉠

$\log_3(2x-1) = 2$에서 $\log_3(2x-1) = \log_3$ **❷**[ ] 이므로

$2x - 1 = 9$ ∴ $x =$ **❸**[ ]

이때 $x = 5$는 ㉠을 만족시키므로 주어진 방정식의 해이다.

∴ $k = 5$

답 **❶** $\dfrac{1}{2}$ **❷** 9   **❸** 5

◆ 밑을 같게 할 수 있는 경우

주어진 부등식을 $\log_a f(x) < \log_a g(x)$ $(a>0, a \ne 1)$ 꼴로 변형한 후

❶ $a>1$이면 $0<f(x)<$ $\boxed{}$❶

❷ $0<a<1$이면 $f(x)>g(x)>$ ❷$\boxed{}$

에 부등식 $\log_2(x-1) > \log_2 5$의 해

밑, 진수의
조건 확인!

밑 2가 1보다 큰지 작은지 확인 후
밑이 같으면 진수끼리 비교!

진수의 조건에서
$x-1>0$
$\therefore x>1$ …㉠

밑 2는 1보다 크므로
$x-1>5$
$\therefore x>6$ …㉡

㉠, ㉡의
공통 범위를 구하면
부등식의 해는
$x>6$이야!

◆ $\log_a x$ 꼴이 반복되는 경우

$\log_a x = t$로 치환하고 t에 대한 부등식을 푼다.

답 | ❶ $g(x)$ ❷ 0

도전 부등식 $\log_{\frac{1}{2}} 3x > \log_{\frac{1}{2}}(1-x)$의 해를 구하시오.

풀이 답 | $0<x<\dfrac{1}{4}$

진수의 조건에서 $3x>0$, $1-x>0$ $\therefore 0<x<1$ ······ ㉠

밑 $\dfrac{1}{2}$은 1보다 작은 양수이므로

$3x<1-x$ $\therefore x$❶$\boxed{}$$\dfrac{1}{4}$ ······ ㉡

㉠, ㉡의 공통 범위를 구하면 $0<x<$ ❷$\boxed{}$

답 ❶ $<$ ❷ $\dfrac{1}{4}$

◆ 호도법과 육십분법 사이의 관계

$$1(\text{라디안}) = \frac{180°}{\pi}, \quad 1° = \frac{\pi}{180}(\text{라디안})$$

예

육십분법을 호도법으로!

$$60° = \frac{\pi}{180} \times 60 = \frac{\pi}{3}$$

호도법을 육십분법으로!

$$\frac{\pi}{4} = \frac{\pi}{4} \times \frac{180°}{\pi} = 45°$$

◆ 부채꼴의 호의 길이와 넓이

반지름의 길이가 r, 중심각의 크기가 θ(라디안)인 부채꼴의 호의 길이를 l, 넓이를 S라 하면

$$l = r\boxed{①}, \quad S = \frac{1}{2}r^2\theta = \frac{1}{2}r\boxed{②}$$

예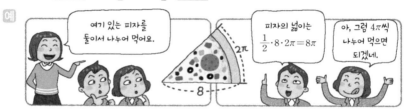

여기 있는 피자를 둘이서 나누어 먹어요.

피자의 넓이는 $\frac{1}{2} \cdot 8 \cdot 2\pi = 8\pi$

아, 그럼 4π씩 나누어 먹으면 되겠네.

2π

8

답| ❶ θ ❷ l

도전 호의 길이가 4π이고 중심각의 크기가 $\frac{\pi}{3}$인 부채꼴의 넓이를 구하시오.

풀이 답| 24π

부채꼴의 반지름의 길이를 r라 하면 부채꼴의 호의 길이는

$$r \cdot \frac{\pi}{3} = 4\pi \qquad \therefore r = \boxed{①}$$

따라서 부채꼴의 넓이는 $\frac{1}{2} \cdot 12 \cdot 4\pi = \boxed{②}$

답 ❶ 12 ❷ 24π

17 삼각함수

◆ **삼각함수의 정의**

각 θ를 나타내는 동경과 반지름의 길이가 r인 원 O 의 교점의 좌표를 (x, y)라 하면

$$\sin\theta=\frac{y}{r}, \cos\theta=\frac{x}{r}, \tan\theta=\boxed{\text{❶}} \ (x\neq 0)$$

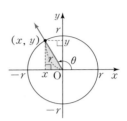

◆ **삼각함수 사이의 관계**

❶ $\sin^2\theta+\cos^2\theta=\boxed{\text{❷}}$

❷ $\tan\theta=\dfrac{\sin\theta}{\cos\theta}$

답| ❶ $\dfrac{y}{x}$ ❷ 1

 각 θ가 제2사분면의 각이고 $\cos\theta=-\dfrac{2}{3}$일 때, $\sin\theta$의 값은?

① $-\dfrac{\sqrt{5}}{3}$　　② $-\dfrac{4}{9}$　　③ $\dfrac{1}{3}$　　④ $\dfrac{4}{9}$　　⑤ $\dfrac{\sqrt{5}}{3}$

각 θ가 제2사분면의 각이므로
$\sin\theta>0$
$\cos\theta<0$
$\tan\theta<0$

풀이 **답| ⑤**

$\sin^2\theta+\cos^2\theta=\boxed{\text{❶}}$ 이므로

$\sin^2\theta=1-\cos^2\theta=1-\left(-\dfrac{2}{3}\right)^2=\boxed{\text{❷}}$

이때 각 θ는 제2사분면의 각이므로 $\sin\theta>0$

$\therefore \sin\theta=\sqrt{\dfrac{5}{9}}=\dfrac{\sqrt{5}}{3}$

답 ❶ 1 ❷ $\dfrac{5}{9}$

18 삼각함수의 그래프의 성질

◆ 사인함수, 코사인함수, 탄젠트함수의 최댓값, 최솟값 및 주기는 다음과 같다.

삼각함수	최댓값	최솟값	주기
$y=a\sin(bx+c)+d$	❶ □ $+d$	$-\lvert a\rvert+d$	$\dfrac{2\pi}{\lvert b\rvert}$
$y=a\cos(bx+c)+d$	$\lvert a\rvert+d$	❷ □ $+d$	$\dfrac{2\pi}{\lvert b\rvert}$
$y=a\tan(bx+c)+d$	없다.	❸ □ .	$\dfrac{\pi}{\lvert b\rvert}$

함수 $y=\sin x$의 그래프!

함수 $y=\cos x$의 그래프!

함수 $y=\tan x$의 그래프!

답 | ❶ $\lvert a\rvert$　❷ $-\lvert a\rvert$　❸ 없다

 도전 함수 $y=-2\sin 5x-1$의 최댓값을 M, 최솟값을 m이라 할 때, Mm의 값은?

① -5　　② -3　　③ 1　　④ 3　　⑤ 5

 풀이 답 | ②

$M=\lvert\,❶\,\Box\,\rvert-1=2-1=1$

$m=-\lvert-2\rvert-❷\,\Box\,=-2-1=-3$

$\therefore Mm=1\cdot(-3)=-3$

답 ❶ -2　❷ 1

◆ $-\theta$에 대한 삼각함수

$\sin(-\theta)=-\sin\theta$, $\cos(-\theta)=\boxed{❶}$, $\tan(-\theta)=-\tan\theta$

◆ $\pi\pm\theta$에 대한 삼각함수

$\sin(\pi+\theta)=-\sin\theta$, $\cos(\pi+\theta)=-\cos\theta$, $\tan(\pi+\theta)=\tan\theta$

$\sin(\pi-\theta)=\sin\theta$, $\cos(\pi-\theta)=\boxed{❷}$, $\tan(\pi-\theta)=-\tan\theta$

◆ $\dfrac{\pi}{2}\pm\theta$에 대한 삼각함수

$\sin\left(\dfrac{\pi}{2}+\theta\right)=\cos\theta$, $\cos\left(\dfrac{\pi}{2}+\theta\right)=-\sin\theta$, $\tan\left(\dfrac{\pi}{2}+\theta\right)=-\dfrac{1}{\tan\theta}$

$\sin\left(\dfrac{\pi}{2}-\theta\right)=\boxed{❸}$, $\cos\left(\dfrac{\pi}{2}-\theta\right)=\sin\theta$, $\tan\left(\dfrac{\pi}{2}-\theta\right)=\dfrac{1}{\tan\theta}$

예

$$\sin\left(-\dfrac{\pi}{6}\right)=-\sin\dfrac{\pi}{6}=-\dfrac{1}{2}$$

$$\cos\dfrac{4}{3}\pi=\cos\left(\pi+\dfrac{\pi}{3}\right)=-\cos\dfrac{\pi}{3}=-\dfrac{1}{2}$$

$$\tan\dfrac{3}{4}\pi=\tan\left(\dfrac{\pi}{2}+\dfrac{\pi}{4}\right)=-\dfrac{1}{\tan\dfrac{\pi}{4}}=-1$$

주어진 각을 $\pi\pm\theta$ 또는 $\dfrac{\pi}{2}\pm\theta$ 꼴로 고칠 수 있는지 확인해 봐.

답| ❶ $\cos\theta$ ❷ $-\cos\theta$ ❸ $\cos\theta$

도전 $\sin\theta=\dfrac{2}{3}$일 때, $\sin(\pi-\theta)-\sin(-\theta)+\cos\left(\dfrac{\pi}{2}+\theta\right)$의 값을 구하시오.

풀이 답| $\dfrac{2}{3}$

$\sin(\pi-\theta)=\boxed{❶}$, $\sin(-\theta)=-\sin\theta$, $\cos\left(\dfrac{\pi}{2}+\theta\right)=\boxed{❷}$

∴ (주어진 식)$=\sin\theta-(-\sin\theta)+(-\sin\theta)=\sin\theta=\dfrac{2}{3}$

답 ❶ $\sin\theta$ ❷ $-\sin\theta$

예 $0 \leq x < 2\pi$일 때, 방정식 $\sin x = \dfrac{1}{2}$의 해를 구해 보자.

 삼각함수가 방정식처럼 되어 있는데 어떻게 풀지?

 함수 $y = \sin x$의 그래프와 직선 $y = $ ❶ 의 교점의 x좌표가 방정식의 해잖아. 그럼 그래프를 그려서 해결하면 되겠지?

 그래프를 그리면 이렇게 되는데.

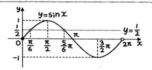

 아하! 교점이 2개 생기네. 그럼 방정식의 해는 $x = \dfrac{\pi}{6}$ 또는 $x = $ ❷ 가 되겠네.

답 | ❶ $\dfrac{1}{2}$ ❷ $\dfrac{5}{6}\pi$

 도전 $0 \leq x < 2\pi$일 때, 방정식 $\cos x = \dfrac{\sqrt{2}}{2}$의 해는 $x = \alpha$ 또는 $x = \beta$이다. 이때 $2(\beta - \alpha)$의 값을 구하시오. (단, $\alpha < \beta$)

 풀이 답 | 3π

$0 \leq x < 2\pi$일 때, 함수 $y = \cos x$의 그래프와

직선 $y = $ ❶ 는 오른쪽 그림과 같으므로

주어진 방정식의 해는

$x = $ ❷ 또는 $x = \dfrac{7}{4}\pi$

따라서 $\alpha = \dfrac{\pi}{4}$, $\beta = \dfrac{7}{4}\pi$이므로 $2(\beta - \alpha) = 2\left(\dfrac{7}{4}\pi - \dfrac{\pi}{4}\right) = 3\pi$

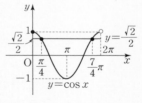

답 ❶ $\dfrac{\sqrt{2}}{2}$ ❷ $\dfrac{\pi}{4}$

예 $0 \leq x < 2\pi$일 때, 부등식 $\cos x \leq \dfrac{\sqrt{2}}{2}$의 해를 구해 보자.

 앗! 이번에는 삼각함수가 부등식처럼 되어 있는데 어떻게 풀지?

 방정식처럼 함수 $y = \cos x$의 그래프와 직선 $y = $ ❶ 를 그려서 해결하면 되지 않을까?

 그래프를 그리면 이렇게 되는데.

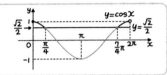

 교점의 x좌표가 ❷ , $\dfrac{7}{4}\pi$이고, 직선과 만나거나 직선 아래쪽 부분이 부등식을 만족시키므로 부등식의 해는 $\dfrac{\pi}{4} \leq x \leq$ ❸ 가 되겠군!

답| ❶ $\dfrac{\sqrt{2}}{2}$ ❷ $\dfrac{\pi}{4}$ ❸ $\dfrac{7}{4}\pi$

 도전 $0 \leq x < 2\pi$일 때, 부등식 $\sin x > \dfrac{1}{2}$의 해는 $\alpha < x < \beta$이다. 이때 $\alpha + \beta$의 값을 구하시오.

 풀이 답| π

$0 \leq x < 2\pi$일 때, 함수 $y = $ ❶ 의 그래프와

직선 $y = \dfrac{1}{2}$은 오른쪽 그림과 같으므로 주어진

부등식의 해는 $\dfrac{\pi}{6} < x < \dfrac{5}{6}\pi$

따라서 $\alpha = \dfrac{\pi}{6}$, $\beta = $ ❷ 이므로

$\alpha + \beta = \dfrac{\pi}{6} + \dfrac{5}{6}\pi = \pi$

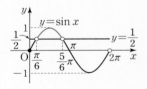

답 ❶ $\sin x$ ❷ $\dfrac{5}{6}\pi$

◆ 삼각형 ABC의 외접원의 반지름의 길이를 R라 하면

$$\frac{\boxed{\text{❶}}}{\sin A} = \frac{b}{\sin B} = \frac{c}{\boxed{\text{❷}}} = 2\boxed{\text{❸}}$$

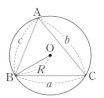

참고 삼각형의 6요소

사인법칙에서 A, B, C와 a, b, c는 무엇일까요?

A, B, C는 ∠A, ∠B, ∠C의 크기입니다.

a, b, c는 ∠A, ∠B, ∠C의 대변의 길이입니다.

답| ❶ a ❷ $\sin C$ ❸ R

 도전 삼각형 ABC에서 $c = 4\sqrt{2}$, $B = 60°$, $C = 45°$일 때, b의 값은?

① $\sqrt{5}$ ② $2\sqrt{2}$ ③ 5 ④ $3\sqrt{3}$ ⑤ $4\sqrt{3}$

 풀이 답| ⑤

사인법칙에 의하여

$$\frac{b}{\sin B} = \frac{\boxed{\text{❶}}}{\sin C} \text{이므로} \quad \frac{b}{\sin 60°} = \frac{4\sqrt{2}}{\sin 45°}$$

$$\therefore b = \frac{4\sqrt{2}}{\sin 45°} \cdot \sin 60° = \frac{4\sqrt{2}}{\frac{\sqrt{2}}{2}} \cdot \boxed{\text{❷}} = 4\sqrt{3}$$

답 ❶ c ❷ $\dfrac{\sqrt{3}}{2}$

◆ 삼각형 ABC의 외접원의 반지름의 길이를 R라 하면

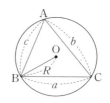

❶ $\sin A = \dfrac{a}{2R}$, $\sin B = \dfrac{\boxed{❶}}{2R}$, $\sin C = \dfrac{c}{2R}$

❷ $a = 2R\sin A$, $b = 2R\sin B$, $c = 2R\boxed{❷}$

❸ $a : b : c = \boxed{❸} : \sin B : \sin C$

답| ❶ b ❷ $\sin C$ ❸ $\sin A$

도전 등식 $a\sin A = b\sin B$를 만족시키는 삼각형 ABC는 어떤 삼각형인가?

삼각형의 모양을 알아볼 때에는 삼각형의 세 변의 길이에 대한 관계식을 알아보면 돼.

① 정삼각형

② $a = b$인 이등변삼각형

③ $b = c$인 이등변삼각형

④ $A = 90°$인 직각삼각형

⑤ $B = 90°$인 직각삼각형

풀이 답| ②

삼각형 ABC의 외접원의 반지름의 길이를 R라 하면

사인법칙에 의하여 $\sin A = \dfrac{\boxed{❶}}{2R}$, $\sin B = \dfrac{b}{2R}$

$a\sin A = b\sin B$에서 $a \cdot \dfrac{a}{2R} = b \cdot \dfrac{b}{2R}$이므로 $a^2 = b^2$

이때 $a > 0$, $b > 0$이므로 $a = b$

따라서 △ABC는 $a = b$인 $\boxed{❷}$ 삼각형이다.

답 ❶ a ❷ 이등변

◆ 삼각형 ABC에서

$$a^2 = b^2 + c^2 - 2bc \; \boxed{\mathbf{0} \qquad}$$

$$b^2 = c^2 + a^2 - 2ca \cos B$$

$$c^2 = a^2 + b^2 - 2ab \; \boxed{\mathbf{2} \qquad}$$

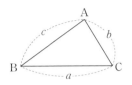

나처럼 두 변의 길이와 그 끼인각의 크기를 알면 코사인법칙을 이용하여 나머지 한 변의 길이를 구할 수 있지!

코사인법칙은 언제 이용될까요?

아하!

답| ❶ $\cos A$ ❷ $\cos C$

도전 삼각형 ABC에서 $b=6$, $c=4$, $A=60°$일 때, a의 값은?

① $\sqrt{7}$　　② $2\sqrt{2}$　　③ $2\sqrt{7}$　　④ $3\sqrt{5}$　　⑤ $3\sqrt{6}$

풀이 답| ③

코사인법칙에 의하여

$$a^2 = b^2 + c^2 - 2bc \; \boxed{\mathbf{0} \qquad} = 6^2 + 4^2 - 2 \cdot 6 \cdot 4 \cdot \cos 60°$$

$$= 36 + 16 - 24 = 28$$

이때 $a > 0$이므로

$$a = \sqrt{28} = \boxed{\mathbf{2} \qquad}$$

답 ❶ $\cos A$　❷ $2\sqrt{7}$

◆ 삼각형 ABC에서

$$\cos A = \frac{b^2 + c^2 - \boxed{\textbf{❶}}}{2bc}$$

$$\cos B = \frac{c^2 + a^2 - b^2}{2\boxed{\textbf{❷}}}$$

$$\cos C = \frac{a^2 + b^2 - \boxed{\textbf{❸}}}{2ab}$$

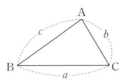

예 삼각형 ABC에서 $a=9$, $b=7$, $c=8$일 때, $\cos A$의 값

코사인법칙에 의하여

$$\cos A = \frac{b^2 + c^2 - a^2}{2bc} = \frac{7^2 + 8^2 - 9^2}{2 \cdot 7 \cdot 8} = \frac{2}{7}$$

△ABC에서 세 변의 길이 a, b, c를 알면 세 각의 크기 A, B, C를 구할 수 있어.

답| ❶ a^2　❷ ca　❸ c^2

도전 삼각형 ABC에서 $a=\sqrt{5}$, $b=3$, $c=\sqrt{2}$일 때, A의 크기는?

① $\dfrac{\pi}{6}$　　　② $\dfrac{\pi}{4}$　　　③ $\dfrac{\pi}{3}$　　　④ $\dfrac{\pi}{2}$　　　⑤ $\dfrac{3}{4}\pi$

풀이 답| ②

$$\cos A = \frac{b^2 + c^2 - a^2}{2bc} = \frac{3^2 + (\sqrt{2})^2 - (\boxed{\textbf{❶}})^2}{2 \cdot 3 \cdot \sqrt{2}} = \frac{\sqrt{2}}{2}$$

이때 $0 < A < \pi$이므로 $A = \boxed{\textbf{❷}}$

답　❶ $\sqrt{5}$　❷ $\dfrac{\pi}{4}$

◆ 삼각형 ABC의 넓이를 S라 하면

$$S=\frac{1}{2}bc\sin A=\frac{1}{2}ca\boxed{❶}=\frac{1}{2}ab\sin C$$

◆ 삼각형 ABC의 넓이를 S, 외접원의 반지름의

길이를 R라 하면

$$S=\frac{abc}{\boxed{❷}}=2R^2\sin A\sin B\sin C$$

답| ❶ $\sin B$ ❷ $4R$

 다음 그림과 같은 삼각형 모양의 꽃밭의 넓이는?

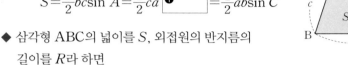

① $24\sqrt{2}\,\mathrm{m}^2$ ② $40\sqrt{2}\,\mathrm{m}^2$ ③ $40\sqrt{3}\,\mathrm{m}^2$

④ $60\sqrt{2}\,\mathrm{m}^2$ ⑤ $60\sqrt{3}\,\mathrm{m}^2$

 답| ④

$$\triangle ABC=\boxed{❶}\cdot 12\cdot 20\cdot\sin 45°$$

$$=\frac{1}{2}\cdot 12\cdot 20\cdot\boxed{❷}$$

$$=60\sqrt{2}\ (\mathrm{m}^2)$$

답 ❶ $\dfrac{1}{2}$ ❷ $\dfrac{\sqrt{2}}{2}$

27 등차수열

◆ **등차수열**

첫째항에 차례로 일정한 수를 더하여 만든 수열을 <u>❶   </u>이라 하고,
더하는 일정한 수를 <u>❷   </u>라 한다.

◆ 공차가 d인 등차수열 $\{a_n\}$에서 제n항과 제$(n+1)$항 사이에는 다음이 성립한다.

$$a_{n+1}=a_n+\boxed{❸}\ (n=1, 2, 3, \cdots)$$

답| ❶ 등차수열   ❷ 공차   ❸ d

 등차수열 $1, -2, -5, \cdots$의 첫째항을 a, 공차를 d라 할 때, $2a-d$의 값은?

① 4   ② 5   ③ 6   ④ 7   ⑤ 8

 답| ②

등차수열 $1, -2, -5, \cdots$의 첫째항은 1이므로 $a=1$

$d=-2-1=-5-(-2)=\cdots=\boxed{❶\ }$

$\therefore 2a-d=2\cdot1-(-3)=\boxed{❷\ }$

답 ❶ -3 ❷ 5

28 등차수열의 일반항

◆ 첫째항이 a, 공차가 d인 등차수열 $\{a_n\}$의 일반항 a_n은

$$a_n = \boxed{\text{❶}} + (n-1)\boxed{\text{❷}} \quad (n=1, 2, 3, \cdots)$$

답| ❶ a ❷ d

도전 첫째항이 14이고 공차가 -3인 등차수열 $\{a_n\}$에 대하여 a_{10}의 값은?

① -15 ② -13 ③ -11 ④ -9 ⑤ -7

풀이 답| ②

첫째항이 14이고 공차가 -3인 등차수열 $\{a_n\}$의 일반항 a_n은

$$a_n = 14 + (\boxed{\text{❶}\quad}) \cdot (-3)$$

$$= -3n + \boxed{\text{❷}\quad}$$

$$\therefore \ a_{10} = -3 \cdot 10 + 17 = -13$$

답 ❶ $n-1$ ❷ 17

29 등차중항

◆ 세 수 a, b, c가 이 순서대로 등차수열을 이룰 때, b를 a와 c의 **❶** 이라 한다.

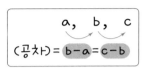

이때 $b-a=c-b$이므로 $b=\dfrac{\boxed{\textbf{❷}}}{2}$

예 세 수 5, x, 15가 이 순서대로 등차수열을 이룰 때

등차수열을 이루는 세 수   등차중항

$$5,\ x,\ 15 \quad \Rightarrow \quad x=\dfrac{5+15}{2}=10$$

x는 5와 15의 등차중항이야.

답 | ❶ 등차중항   ❷ $a+c$

도전   네 수 3, a, 15, b가 이 순서대로 등차수열을 이룰 때, $b-a$의 값은?

① 10   ② 12   ③ 14   ④ 16   ⑤ 18

풀이   답 | ②

a는 3과 15의 등차중항이므로

$$a=\dfrac{\boxed{\textbf{❶}}+15}{2}=9$$

또 15는 a와 b, 즉 9와 b의 등차중항이므로

$$15=\dfrac{\boxed{\textbf{❷}}+b}{2} \qquad \therefore b=21$$

$$\therefore b-a=21-9=12$$

답 ❶ 3 ❷ 9

◆ 등차수열의 첫째항부터 제n항까지의 합 S_n은

❶ 첫째항이 a, 제n항이 l일 때, $S_n = \dfrac{n(a + \boxed{❶})}{2}$

❷ 첫째항이 a, 공차가 d일 때, $S_n = \dfrac{n\{2a + (\boxed{❷})d\}}{2}$

예

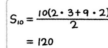

첫째항이 3이고 제10항이 21인 등차수열의 첫째항부터 제10항까지의 합은 이렇게 구하면 편리하지.

$S_{10} = \dfrac{10(3 + 21)}{2}$
$\quad\ = 120$

첫째항이 3이고 공차가 2인 등차수열의 첫째항부터 제10항까지의 합은 이렇게 구하면 편리하지.

$S_{10} = \dfrac{10(2 \cdot 3 + 9 \cdot 2)}{2}$
$\quad\ = 120$

답| ❶ l ❷ $n-1$

도전 첫째항이 -10인 등차수열 $\{a_n\}$의 첫째항부터 제10항까지의 합이 80일 때, a_{10}의 값은?

① 17   ② 20   ③ 23   ④ 26   ⑤ 29

풀이 답| ④

등차수열 $\{a_n\}$의 첫째항부터 제10항까지의 합은

$\dfrac{10(\boxed{❶} + a_{10})}{2} = 80$이므로 $5(-10 + a_{10}) = 80$

$-10 + a_{10} = 16$ ∴ $a_{10} = \boxed{❷}$

답 ❶ -10 ❷ 26

◆ **등비수열**

첫째항에 차례로 일정한 수를 곱하여 만든 수열을 **❶** [　　　] 이라 하고, 곱하는 일정한 수를 **❷** [　] 라 한다.

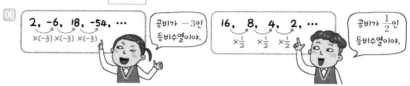

◆ 공비가 $r\,(r \neq 0)$인 등비수열 $\{a_n\}$에서 제n항과 제$(n+1)$항 사이에는 다음이 성립한다.

$$a_{n+1} = r a_n\,(n = 1, 2, 3, \cdots)$$

답 | ❶ 등비수열　❷ 공비

 등비수열 $-\dfrac{1}{3}$, 1, -3, 9, $\cdots$의 첫째항을 a, 공비를 r라 할 때, $a - r$의 값은?

① $-\dfrac{8}{3}$　　② $-\dfrac{2}{3}$　　③ 0　　④ $\dfrac{2}{3}$　　⑤ $\dfrac{8}{3}$

 답 | ⑤

등비수열 $-\dfrac{1}{3}$, 1, -3, 9, $\cdots$의 첫째항은 $-\dfrac{1}{3}$이므로 $a = -\dfrac{1}{3}$

$r = \dfrac{1}{-\dfrac{1}{3}} = \dfrac{-3}{1} = \dfrac{9}{-3} = \cdots = $ **❶** [　　]

$\therefore\ a - r = -\dfrac{1}{3} - (-3) = $ **❷** [　　]

답 ❶ -3　❷ $\dfrac{8}{3}$

◆ 첫째항이 a, 공비가 $r(r \neq 0)$인 등비수열 $\{a_n\}$의 일반항 a_n은

$$a_n = \boxed{❶} \, r^{n-1} \ (n = 1, 2, 3, \cdots)$$

예

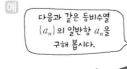

다음과 같은 등비수열 $\{a_n\}$의 일반항 a_n을 구해 봅시다.

첫째항이 1이고 공비가 3이므로 등비수열 $\{a_n\}$의 일반항 a_n은 이렇게 됩니다.

첫째항 공비

$a_n = 1 \times 3^{n-1}$
$= 3^{n-1}$

답 | ❶ a

도전 첫째항이 16이고 공비가 $\dfrac{1}{2}$인 등비수열 $\{a_n\}$에 대하여 a_{10}의 값은?

① $\dfrac{1}{32}$　　② $\dfrac{1}{16}$　　③ $\dfrac{1}{8}$　　④ 16　　⑤ 32

풀이 답 | ①

첫째항이 16이고 공비가 $\dfrac{1}{2}$인 등비수열 $\{a_n\}$의 일반항 a_n은

$$a_n = \boxed{❶} \cdot \left(\frac{1}{2}\right)^{n-1} = \left(\frac{1}{2}\right)^{n-5}$$

$$\therefore a_{10} = \left(\frac{1}{2}\right)^5 = \boxed{❷}$$

답 ❶ 16　❷ $\dfrac{1}{32}$

◆ 0이 아닌 세 수 a, b, c가 이 순서대로 등비수열을 이룰 때, b를 a와 c의 **❶**[____]이라 한다.

이때 $\dfrac{b}{a}=\dfrac{c}{b}$이므로 $b^2=$ **❷**[____]

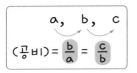

예 세 수 $2, x, 18$이 이 순서대로 등비수열을 이룰 때

등비수열을 이루는 세 수   등비중항

$2, x, 18 \Rightarrow x^2 = 2 \cdot 18 = 36$

$\therefore x = -6$ 또는 $x = 6$

x는 2와 18의 등비중항이야.

답 | ❶ 등비중항   ❷ ac

도전 세 수 $4, a, \dfrac{1}{9}$이 이 순서대로 등비수열을 이룰 때, 양수 a의 값은?

① $\dfrac{4}{9}$ ② $\dfrac{2}{3}$ ③ $\dfrac{8}{9}$ ④ $\dfrac{10}{9}$ ⑤ $\dfrac{4}{3}$

풀이 답 | ②

a는 4와 $\dfrac{1}{9}$의 **❶**[____]중항이므로

$a^2 =$ **❷**[____] $\cdot \dfrac{1}{9} = \dfrac{4}{9}$

이때 a는 양수이므로

$a = \sqrt{\dfrac{4}{9}} = \dfrac{2}{3}$

답   ❶ 등비   ❷ 4

◆ 첫째항이 a, 공비가 $r(r \neq 0)$인 등비수열의 첫째항부터 제n항까지의 합 S_n은

❶ $r \neq 1$일 때, $S_n = \dfrac{a(1-r^n)}{1-r} = \dfrac{a(r^n-1)}{\boxed{❶}}$

❷ $r = 1$일 때, $S_n = \boxed{❷}$

예

첫째항이 1이고 공비가 2인 등비수열의 첫째항부터 제5항까지의 합은 이렇게 구하면 편리하지.

$$S_5 = \dfrac{1 \cdot (2^5 - 1)}{2-1} = 2^5 - 1$$

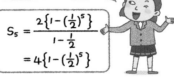

첫째항이 2이고 공비가 $\dfrac{1}{2}$인 등비수열의 첫째항부터 제5항까지의 합은 이렇게 구하면 편리하지.

$$S_5 = \dfrac{2\left\{1 - \left(\dfrac{1}{2}\right)^5\right\}}{1 - \dfrac{1}{2}} = 4\left\{1 - \left(\dfrac{1}{2}\right)^5\right\}$$

답| ❶ $r-1$ ❷ na

 도전 첫째항이 2이고 공비가 -3인 등비수열 $\{a_n\}$의 첫째항부터 제5항까지의 합은?

① 116 ② 118 ③ 120 ④ 122 ⑤ 124

 풀이 답| ④

등비수열 $\{a_n\}$의 첫째항부터 제5항까지의 합은

$$\dfrac{\boxed{❶}\{(-3)^5 - 1\}}{\boxed{❷} - 1} = 122$$

답 ❶ 2 ❷ -3

◆ 수열 $\{a_n\}$의 첫째항부터 제n항까지의 합을 S_n이라 하면

$$a_1 = \boxed{\text{❶}}, \ a_n = S_n - S_{n-1} \ (n \geq 2)$$

예 수열 $\{a_n\}$의 첫째항부터 제n항까지의 합 S_n이 $S_n = 2n^2$일 때, 일반항 a_n을 구해 보자.

(ⅰ) $n = 1$일 때
$$a_1 = S_1 = 2 \cdot 1^2 = 2$$

(ⅱ) $n \geq 2$일 때
$$a_n = S_n - S_{n-1}$$
$$= 2n^2 - 2(\boxed{\text{❷}})^2$$
$$= 4n - 2 \quad \cdots\cdots \ㄱ$$

이때 $a_1 = 2$는 ㉠에 $n = 1$을 대입한 것과 같으므로
$$a_n = 4n - 2$$

> 수열의 합과 일반항 사이의 관계는 등차수열, 등비수열뿐만 아니라 일반적인 수열에도 적용할 수 있어.

답| ❶ S_1 ❷ $n-1$

도전 수열 $\{a_n\}$의 첫째항부터 제n항까지의 합 S_n이 $S_n = n^2 - n$일 때, a_{10}의 값은?

① 12 ② 14 ③ 16 ④ 18 ⑤ 20

풀이 답| ④

$$a_{10} = S_{10} - \boxed{\text{❶}}$$
$$= (10^2 - 10) - (9^2 - \boxed{\text{❷}})$$
$$= 90 - 72$$
$$= 18$$

답 ❶ S_9 ❷ 9

◆ 수열 $\{a_n\}$의 첫째항부터 제n항까지의 합을 기호 $\sum$를 사용하여

$$a_1 + a_2 + a_3 + \cdots + a_n = \sum_{k=1}^{n} \boxed{\textbf{❶}}$$

와 같이 나타낸다. 이때 $\displaystyle\sum_{k=1}^{n} a_k$는 수열의 일반항 a_k의 $\boxed{\textbf{❷}}$ 에 $1, 2, 3, \cdots, n$

을 차례로 대입하여 얻은 항의 합을 뜻한다.

예 합의 기호 $\sum$

$$2+4+6+\cdots+20$$
$$= 2\times\textcircled{1}+2\times\textcircled{2}+2\times\textcircled{3}+\cdots+2\times\textcircled{10}$$
$$= \sum_{k=1}^{10} 2k$$

← 제10항까지
← 첫째항부터

수열의 합으로 나타낸 것을 $\sum$을 사용하여 간단히 나타낼 수 있어!

답| ❶ a_k ❷ k

수열의 합 $1+2+4+\cdots+128$을 기호 $\sum$를 사용하여 나타내면?

① $\displaystyle\sum_{k=1}^{8} 2^{k-1}$ ② $\displaystyle\sum_{k=1}^{8} 2^{k}$ ③ $\displaystyle\sum_{k=1}^{8} 2^{k+1}$ ④ $\displaystyle\sum_{k=1}^{10} 2^{k-1}$ ⑤ $\displaystyle\sum_{k=1}^{10} 2^{k}$

풀이 답| ①

주어진 수열의 제k항을 a_k라 하면 $a_k = 1 \cdot 2^{k-1} = 2^{k-1}$

$2^{k-1} = 128 = 2^7$에서 $k-1 = 7$ ∴ $k = \boxed{\textbf{❶}}$

∴ $1+2+4+\cdots+128 = \displaystyle\sum_{k=1}^{8} \boxed{\textbf{❷}}$

답 ❶ 8 ❷ 2^{k-1}

◆ 두 수열 $\{a_n\}$, $\{b_n\}$과 상수 c에 대하여

① $\displaystyle\sum_{k=1}^{n}(a_k+b_k)=\sum_{k=1}^{n}a_k+\sum_{k=1}^{n}\boxed{❶}$

② $\displaystyle\sum_{k=1}^{n}(a_k-b_k)=\sum_{k=1}^{n}a_k-\sum_{k=1}^{n}b_k$

③ $\displaystyle\sum_{k=1}^{n}ca_k=\boxed{❷}\sum_{k=1}^{n}a_k$

④ $\displaystyle\sum_{k=1}^{n}c=\boxed{❸}$

$\displaystyle\sum_{i=1}^{10}i^2=1^2+2^2+3^2+\cdots+10^2$

$\displaystyle\sum_{k=1}^{n}a_k$에서 k 대신 다른 문자도 사용할 수 있어.

답| ❶ b_k ❷ c ❸ cn

 도전 두 수열 $\{a_n\}$, $\{b_n\}$에 대하여 $\displaystyle\sum_{k=1}^{15}a_k=12$, $\displaystyle\sum_{k=1}^{15}b_k=-3$일 때,

$\displaystyle\sum_{k=1}^{15}(a_k-3b_k)$의 값은?

① 20   ② 21   ③ 22   ④ 23   ⑤ 24

풀이 답| ②

$$\sum_{k=1}^{15}(a_k-3b_k)=\boxed{❶}-3\sum_{k=1}^{15}b_k$$

$$=12-3\cdot(\boxed{❷})$$

$$=21$$

답 ❶ $\displaystyle\sum_{k=1}^{15}a_k$ ❷ -3

38 자연수의 거듭제곱의 합

① $1+2+3+\cdots+n=\displaystyle\sum_{k=1}^{n}k=\dfrac{n(\boxed{①})}{2}$

② $1^2+2^2+3^2+\cdots+n^2=\displaystyle\sum_{k=1}^{n}k^2=\dfrac{n(n+1)(\boxed{②})}{6}$

③ $1^3+2^3+3^3+\cdots+n^3=\displaystyle\sum_{k=1}^{n}k^3=\left\{\dfrac{n(\boxed{③})}{2}\right\}^2$

예

① $1+2+3+4+5=\displaystyle\sum_{k=1}^{5}k=\dfrac{5(5+1)}{2}=15$

② $1^2+2^2+3^2+4^2+5^2=\displaystyle\sum_{k=1}^{5}k^2=\dfrac{5(5+1)(2\cdot5+1)}{6}=55$

③ $1^3+2^3+3^3+4^3+5^3=\displaystyle\sum_{k=1}^{5}k^3=\left\{\dfrac{5(5+1)}{2}\right\}^2=225$

답| ① $n+1$ ② $2n+1$ ③ $n+1$

도전 $\displaystyle\sum_{k=1}^{10}(2k-1)$의 값은?

① 94　　② 96　　③ 98　　④ 100　　⑤ 102

풀이 답| ④

$$\sum_{k=1}^{10}(2k-1)=2\boxed{①}-\sum_{k=1}^{10}1$$

$$=2\cdot\dfrac{10\cdot\boxed{②}}{2}-1\cdot10$$

$$=110-10=100$$

답 ① $\displaystyle\sum_{k=1}^{10}k$ ② 11

39 분수 꼴인 수열의 합

◆ 일반항이 분수 꼴이고 분모가 두 일차식의 곱인 수열의 합은 다음 등식을
이용하여 구한다.

$$\frac{1}{AB} = \frac{1}{\boxed{\text{❶}}}\left(\frac{1}{A} - \frac{1}{\boxed{\text{❷}}}\right) \ (A \neq B)$$

예 $\sum\limits_{k=1}^{3} \dfrac{1}{k(k+1)}$ 의 값

이건 어떻게 계산하면 되는 거야?

$\dfrac{1}{k(k+1)} = \dfrac{1}{k} - \dfrac{1}{k+1}$ 이므로

$\sum\limits_{k=1}^{3} \dfrac{1}{k(k+1)} = \left(1 - \dfrac{1}{2}\right) + \left(\dfrac{1}{2} - \dfrac{1}{3}\right) + \left(\dfrac{1}{3} - \dfrac{1}{4}\right)$

$= 1 - \dfrac{1}{4} = \dfrac{3}{4}$

이렇게 변형하여 계산하면 지워지는 수들이 생겨서 계산이 쉬워져!

답 | ❶ $B-A$ ❷ B

도전 $\sum\limits_{k=1}^{3} \dfrac{10}{(k+1)(k+2)}$ 의 값을 구하시오.

 답 | 3

$(\text{주어진 식}) = 10 \sum\limits_{k=1}^{3} \left(\dfrac{1}{k+1} - \dfrac{1}{\boxed{\text{❶}}}\right)$

$= 10 \left\{\left(\dfrac{1}{2} - \dfrac{1}{3}\right) + \left(\dfrac{1}{3} - \dfrac{1}{4}\right) + \left(\dfrac{1}{4} - \dfrac{1}{5}\right)\right\}$

$= 10\left(\dfrac{1}{2} - \dfrac{1}{5}\right) = \boxed{\text{❷}}$

답 ❶ $k+2$ ❷ 3

◆ 분모에 근호가 포함된 수열의 합은 다음과 같이 분모를 유리화하여 구한다.

$$\frac{1}{\sqrt{A}+\sqrt{B}} = \frac{1}{\boxed{\text{❶}}}(\boxed{\text{❷}}-\sqrt{B}) \ (A \neq B)$$

예 $\dfrac{1}{\sqrt{k}+\sqrt{k+1}}$ 의 변형

식을 유리화 한다는 게 무슨 말이야?

$$\frac{1}{\sqrt{k}+\sqrt{k+1}} = \frac{\sqrt{k}-\sqrt{k+1}}{(\sqrt{k}+\sqrt{k+1})(\sqrt{k}-\sqrt{k+1})}$$

$$= \frac{\sqrt{k}-\sqrt{k+1}}{-1}$$

$$= -(\sqrt{k}-\sqrt{k+1})$$

분자와 분모에 $\sqrt{k}-\sqrt{k+1}$ 을 곱하면 돼!

답| ❶ $A-B$ ❷ $\sqrt{A}$

도전 $\displaystyle\sum_{k=1}^{8} \frac{2}{\sqrt{k}+\sqrt{k+1}}$ 의 값을 구하시오.

풀이 답| 4

$$(주어진 식) = -2\sum_{k=1}^{8}(\sqrt{k}-\sqrt{k+1})$$

$$= -2\{(1-\sqrt{2})+(\boxed{\text{❶}}-\sqrt{3})+(\sqrt{3}-\sqrt{4})$$

$$+\cdots+(\sqrt{8}-\sqrt{9})\}$$

$$= -2(1-\sqrt{9})$$

$$= -2(1-\boxed{\text{❷}})$$

$$= 4$$

답 ❶ $\sqrt{2}$ ❷ 3

◆ 일반적으로 수열 $\{a_n\}$에서

    (i) 처음 몇 개의 항

    (ii) 차례로 그 다음 항을 정할 수 있는 관계식

이 주어질 때, (ii)의 관계식의 **❶**〔   〕에 1, 2, 3, …을 차례로 대입하면 수열의 모든 항이 정해진다.

이와 같이 처음 몇 개의 항과 차례로 그 다음 항을 정할 수 있는 관계식으로 수열을 정의하는 것을 수열의 **❷**〔   〕정의라 한다.

[예] 수열 $\{a_n\}$이 $a_1=2$, $a_{n+1}=2a_n$ $(n=1, 2, 3, \cdots)$과 같이 귀납적으로 정의될 때, 각 항은 다음과 같이 구한다.

$a_2=2a_1=2\cdot2=4$

$a_3=2a_2=2\cdot4=8$

$a_4=2a_3=2\cdot8=16$

$a_5=2a_4=2\cdot16=32$

$\vdots$

$a_{n+1}=2a_n$에 $n=1, 2, 3, \cdots$을 대입하면 수열의 모든 항을 구할 수 있어.

답| **❶** n **❷** 귀납적

도전 수열 $\{a_n\}$이 $a_1=2$, $a_{n+1}=2a_n+1$ $(n=1, 2, 3, \cdots)$로 정의될 때, a_3+a_5의 값을 구하시오.

풀이 답| 58

$a_2=2a_1+1=2\cdot2+1=5$, $a_3=2\boxed{\textbf{❶}}+1=2\cdot5+1=11$

$a_4=2a_3+1=2\cdot11+1=23$, $a_5=2\boxed{\textbf{❷}}+1=2\cdot23+1=47$

$\therefore a_3+a_5=11+47=58$

답   **❶** a_2 **❷** a_4

◆ 수열 $\{a_n\}$에서 $n=1, 2, 3, \cdots$일 때

  ❶ 첫째항이 a, 공차가 d인 등차수열

    ⇨ $a_1=a$, $a_{n+1}=a_n+$ ❶ ⬚

  ❷ 공차가 d인 등차수열

    ⇨ $a_{n+1}-a_n=$ ❷ ⬚ 또는 $a_{n+1}=a_n+d$

  예 등차수열 $2, 5, 8, 11, \cdots$의 귀납적 정의

첫째항이 2이고 공차가 $5-2=3$이므로 이렇게 귀납적으로 정의할 수 있어!

공차를 다른 방법으로 표현하면 이렇게 정의할 수도 있지!

$$a_1 = 2$$
$$a_{n+1} = a_n + 3$$

$$a_1 = 2$$
$$a_{n+1} - a_n = 3$$

답| ❶ d ❷ d

 도전 수열 $\{a_n\}$이 $a_1=3$, $a_{n+1}=a_n-1$ $(n=1, 2, 3, \cdots)$로 정의될 때, a_{15}의 값은?

  ① -12　　② -11　　③ -10　　④ -9　　⑤ -8

 풀이 답| ②

수열 $\{a_n\}$은 첫째항이 3이고 공차가 -1인 등차수열이므로

$$a_n = 3 + (n-1) \cdot (\boxed{❶}) = -n+4$$

$$\therefore a_{15} = -15 + \boxed{❷} = -11$$

답 ❶ -1 ❷ 4

43 등비수열의 귀납적 정의

◆ 수열 $\{a_n\}$에서 $n=1, 2, 3, \cdots$일 때

❶ 첫째항이 a, 공비가 r인 등비수열

$\Rightarrow a_1=a,\ a_{n+1}=\boxed{❶}\,a_n$

❷ 공비가 r인 등비수열

$\Rightarrow \dfrac{a_{n+1}}{a_n}=\boxed{❷}$ 또는 $a_{n+1}=ra_n$

예 등비수열 $1, 2, 4, 8, \cdots$의 귀납적 정의

첫째항이 1이고 공비가 $\dfrac{2}{1}=2$이므로 이렇게 귀납적으로 정의할 수 있어!

$$a_1 = 1$$
$$a_{n+1} = 2a_n$$

공비를 다른 방법으로 표현하면 이렇게 정의할 수도 있지!

$$a_1 = 1$$
$$\frac{a_{n+1}}{a_n} = 2$$

답| ❶ r ❷ r

도전 수열 $\{a_n\}$이 $a_1=-2$, $a_{n+1}=2a_n$ $(n=1, 2, 3, \cdots)$으로 정의될 때, a_7의 값은?

① -128 ② -64 ③ -32 ④ 64 ⑤ 128

풀이 답| ①

수열 $\{a_n\}$은 첫째항이 -2이고 공비가 2인 등비수열이므로

$a_n = \boxed{❶}\cdot 2^{n-1}=-2^n$

$\therefore a_7 = -\boxed{❷}=-128$

답 ❶ -2 ❷ 2^7

44 수학적 귀납법

◆ 자연수 n에 대한 명제 $p(n)$이 모든 자연수 n에 대하여 성립함을 증명하려면 다음 두 가지를 보이면 된다.

(i) $n=$ **❶** 일 때, 명제 $p(n)$이 성립한다.

(ii) $n=k$일 때, 명제 $p(n)$이 성립한다고 가정하면

$n=$ **❷** 일 때도 명제 $p(n)$이 성립한다.

답| ❶ 1 **❷** $k+1$

다음은 모든 자연수 n에 대하여 등식 $1+2+3+\cdots+n=\dfrac{n(n+1)}{2}$이 성립함을 증명하는 과정이다. $\square$ 안에 알맞은 것을 써넣으시오.

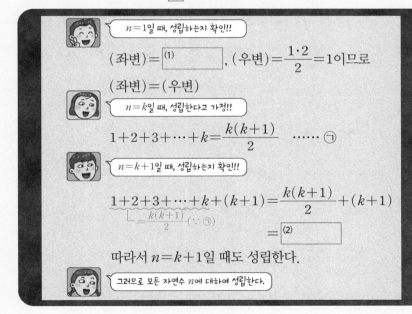

$n=1$일 때, 성립하는지 확인!!

(좌변)$=$ (1)$\square$, (우변)$=\dfrac{1\cdot2}{2}=1$이므로

(좌변)$=$(우변)

$n=k$일 때, 성립한다고 가정!!

$1+2+3+\cdots+k=\dfrac{k(k+1)}{2}$ ······ ㉠

$n=k+1$일 때, 성립하는지 확인!!

$\underbrace{1+2+3+\cdots+k}_{=\frac{k(k+1)}{2}(\because ㉠)}+(k+1)=\dfrac{k(k+1)}{2}+(k+1)$

$=$ (2)$\square$

따라서 $n=k+1$일 때도 성립한다.

그러므로 모든 자연수 n에 대하여 성립한다.

 풀이 답| (1) 1 (2) $\dfrac{(k+1)(k+2)}{2}$

memo

#수능기초
#10일만에
#감각익히기

10일 격파

✦ 빠른 정답 확인